JN014711

新訂版

貧乏モーツァルトと金持ちプッチーニ

身近な疑問から紐解く「知財マネタイズ経営」入門

Poverty Mozart and the rich Puccini

弁理士／国際パテント・マネタイザー
正林真之

推薦のことば

あなたにとっての「成功」の定義とはいったいなんだろうか。

希代の天才作曲家、アマデウス・モーツァルト。彼の音楽家としての「成功」を否定できる人間は存在しないだろう。その旋律と楽曲は、今も、そしてこれからも永遠に音楽の歴史に刻み続けられる不滅の偉業に違いない。

かたやジャコモ・プッチーニ。「マダム・バタフライ」というより「蝶々夫人」と言ったほうが日本人である我々には馴染み深いかもしれない、最も人気のあるイタリア・オペラの作曲家だ。

このふたりのそれぞれの「成功」を比べたとき、その基準が「音楽家としての、作曲家としての作品の質」という観点であれば、比べることそれ自体さえ無意味なほどの差がそこには存在するかもしれない。

ところが、その音楽性ではなく、その作品がもたらした経済的な「成功」という観点では、失礼ながらモーツァルトは格段に劣ると言わざるを得ない。プッチーニに圧倒的な軍配が上がるのだ。

あなたは、歴史に名を残しながら孤独と貧困の中で死んでいかざるを得なかったモーツァルトと、名声と巨万の富の中で生涯を終えるプッチーニと、どちらの人生を選択するだろうか。

あなたがもし、貧乏モーツァルトではなく、金持ちプッチーニを目指したいなら、ぜひ本書を読み進めていただきたい。

もちろん、真に実力がある方が〝金持ちモーツァルト〟を目指すのなら、何度も何度も本書を繰り返して熟読していただきたい。

そして、あの天国で「自分もこの本を読みたかった」とほぞを噛んでいるかもしれない天才モーツァルトに本書を捧げることから、時代を超えた「成功」の秘訣、知的財産権の最良行使・活用方法を説く、国際知的財産権スペシャリストであり、私の友人である正林真之の指南を始めよう。

作家、経営コンサルタント　水野俊哉

まえがき

私に音楽を与えてくれたのは、母であった。

田舎の保守的な父親で、芸術を卑下し、学問や文化を否定することに快感を覚えるかのようにさえ見える父と結婚してしまった母は、私にクラシックやオペラを好んで聴くような穏やかな男になって欲しいとの願いがあったようだ。

そんなふうに育つことができたかどうかは不明であるが、私はある時期クラシックに没頭した。

父に「そんな飯の種にもならないものを」と罵倒され、レコードを折られることに耐えつつも、どうしてこのようなすごい曲を作ることができるのかと心が躍った。

あまりに有名な音楽家であるアマデウス・モーツァルトも、親から音楽を与えられた。

父親から才能を見出され、幼少期から音楽教育を受けた。

神童と呼ばれ、3歳でチェンバロを弾き、最初の作曲は5歳の時であった。

その後も数々の名曲を残し、曲を聴けば知っているものばかりであろう。


だが、その人気とは裏腹に、高給な仕事には恵まれず、晩年は収入が減っていた。


確かに彼は、私生活面では品行が悪く、ギャンブルを好み、浪費癖もあった。けれども彼には、それらを補って余りあるほどの才能があった。そうであったにもかかわらず、それをお金にすることができず、彼は35歳という若さで亡くなった。

借金を申し入れる直筆の手紙も複数残されている。

しかも、モーツァルトと同じく浪費癖があり貧乏だった妻には葬儀も出してもらえなかったという話もあり、一般の人と同じ共同墓地に眠っているそうだ。


一方、プッチーニだが、モーツァルトに比べて、ずば抜けた才能があったわけではない。

だが、大衆に分かりやすく親しみやすい作品が特徴で、オペラ作曲家として人気を博した。

彼の死に際して、葬式は国葬扱いとなり、イタリアでは国を挙げて喪に服し半旗が掲げられたという。


私は弁理士として、東京に事務所を構え、国内外の4万件以上の特許・商標という知財、つまり知的財産を扱ってきた。

その経験を元に改めてモーツァルトを見てみると、実は彼、モーツァルトには彼自身の才能や個性をマネタイズ（資金化）できる無限の要素があったことが確信できる。けれども彼はそれをしなかった。


芸術家としてではなく、音楽という「職業」を選択したモーツァルトとプッチーニというふたりの人生の経済的な「成功」を比べるならば、まったく異なる評価が下されざるを得ない。

そして、その理由と根拠こそ、これからのビジネスマンが、そしてこれからの日本が経済的な繁栄を収めるために欠くことのできない条件であるとここに断言しよう。

貧乏モーツァルトと金持ちプッチーニ、このふたりの差はいったい何であったのだろうか？

正林国際特許商標事務所所長
国際パテント・マネタイザー
正林真之

目次

第2章 印税、商標、著作権が生むお金の話 45

第3章 知財ビジネスモデルの勝ちパターン　75

第4章 地域のアドバンテージをマネーに変える錬金術

第5章 知的財産の価値が見えない日本企業

プロデュース　水野俊哉
カバー・本文デザイン、DTP　ISSHIKI
イラスト　ケン・サイトー
編集　山本和之
編集協力　和泉涼子、野崎美夫
校正　平原琢也

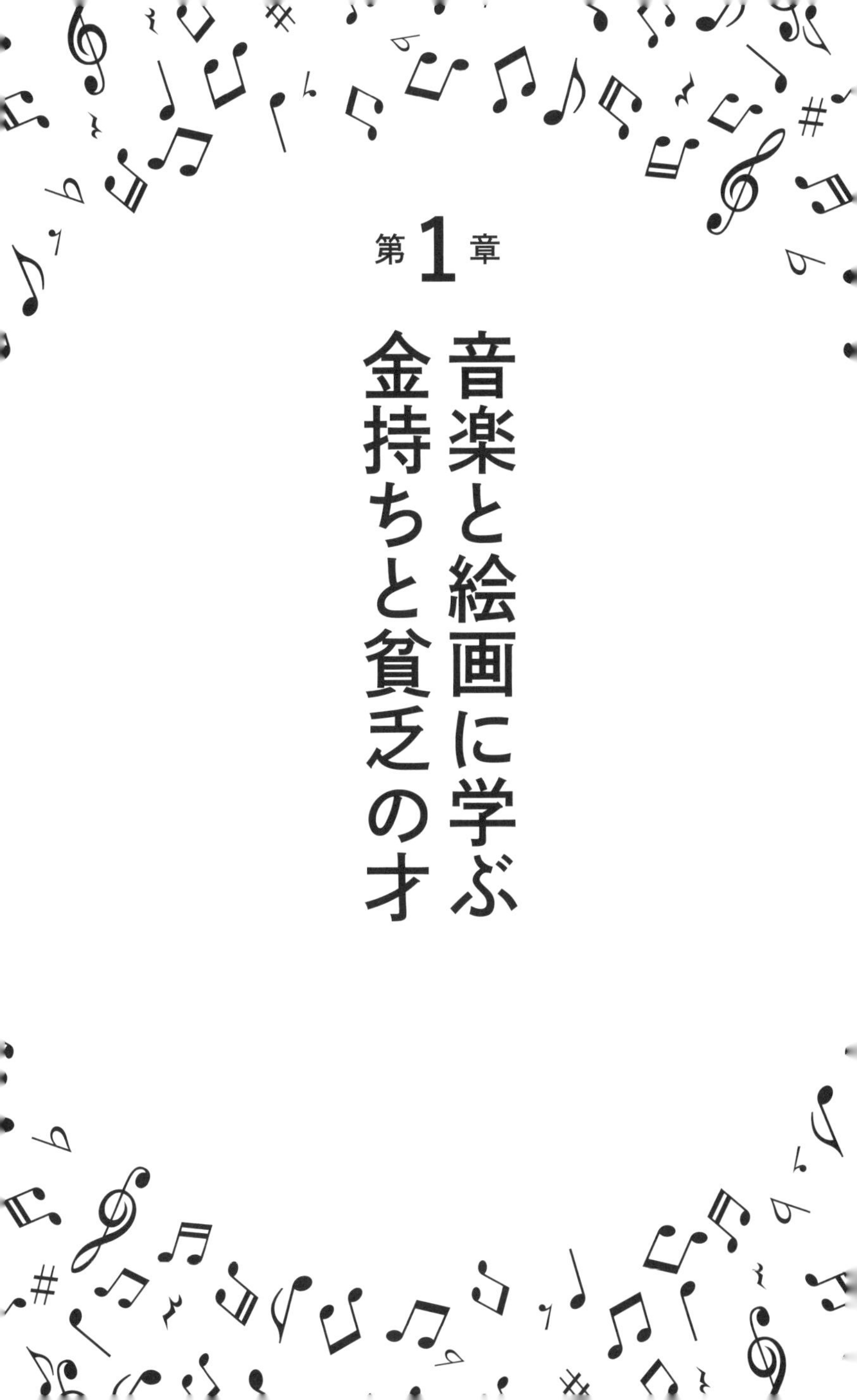

第1章

音楽と絵画に学ぶ 金持ちと貧乏の才

𝄞 華々しい天才音楽少年の質素な人生

あるところに、有名音楽大学を優秀な成績で入学したUさんという青年がいた。

音大を出たなどというと、なんとなくお金持ちで品行方正な人間のように思われることが多いし、実際あなたもそんなイメージをお持ちではないだろうか。

しかしながら、音大を出て、音楽家として稼ぐことができるか、ということになると、話は別だ。

オーケストラの一員とまでいかなくても、多少なりとも音楽に関係する企業の正社員として就職することにこだわるのであれば、極端に受け皿は少なくなり、逆に一般企業に就職しようと考えれば、一般の大学の学生達と比べるとどうしても弱い存在に成り下がってしまう。

音楽教師の教員資格でも持っていれば別だが、あくまで音楽家として生きていこうと思っていたUさんは、結局就職先を見つけることもできず、フリーターとして結婚式場やホテル、レストランで演奏してなんとか日々の生計を立てている。

𝄞 落ちこぼれから駆け上がった成功への階段

一方、大阪府出身のTさんは、ビートルズに憧れ、中学2年生の時にギターを始めたどこにでもいる音楽少年。

しかし、大学時代にバンドを結成したことが人生の大きな岐路となった。

インディーズ時代に会社を設立し、自力でカセットテープやプロモーションビデオを制作して、放送局やレコード会社、音楽プロダクションに売り込みを続けた。

その後、アマチュアバンドコンテストでグランプリを受賞し、メジャーデビューこそ果たすものの、その後数年間は鳴かず飛ばずの日々が続いた。

この曲が売れなかったら解散すると決意し、自ら有線放送にリクエストの電話をしまくり、必死の売り込みをかけた。

これが功を奏したのか、曲は大ヒットし、なんとか解散は免れた。

しかも、その後は大ヒットを続け、プロデュース業にも従事。

現在は、病気のため第一線こそ退いたものの、曲の提供は続けている。

放送作家から天才音楽プロデューサーへ

Aさんは、高校生の頃からアルバイトでラジオの放送作家を務めていた。

そのまま社会人になったが、その仕事に物足りなさや将来の不安を抱えていた。

「このまま放送作家の仕事だけ続けていても、限界が見えてくる。このままで終わりたくない」という想いがあった。

そんな時、偶然出会ったある縁で、作詞を手掛けることになる。

その範囲は次第に広がり、アニメの主題歌、アイドル、著名アーティストへの作詞提供、コメディアンが歌う曲までにも幅広くなり、ベスト&ロングヒットとなった演歌もある。

その才能は大きく開花し、アイドルグループのプロデュース業までも手掛けるようになり、今やあらゆるジャンルのプロデュースを手掛け、大成功を収めている。

天才が成功するのではなく、成功の仕方を知る人間が天才になる

すでに気がついた方もいらっしゃるかもしれないが、Tさんはつんく♂氏、Aさんは秋元康氏のことである。

そして、Uさんは私が作り上げた架空のキャラクターであり、特にモデルはいないのであるが、一般の音大卒業生というのは(申し訳ないが)このようなイメージがある。

それではこの中で、最も稼いでいるのは誰だろうか。年収を知っているわけではないが、そのキャリアの長さと作詞した曲の多さ、プロデュースしているグループの多さから、秋元康氏であろうことは、誰にでも容易に推測できる。

先の例の中で、最もきちんとした音楽教育を受けているのは、まぎれもなく、幼い頃から楽器を習い、音大まで卒業したUさんである。

つんく♂氏は少なくともバンド少年であったが、秋元康氏に至っては、音楽のキャリアはゼロと言っても過言ではないだろう。

音楽の知識という観点だけで見れば、音楽業界で稼いでいくことができるのは、Uさんが最も妥当だったであろう。しかし、現実はまったく違う正反対の結果になっている。

この差はどこから生まれてきているのだろうか。ここからあなたとじっくり考えていくことが本書のテーマである。

なぜモーツァルトが金持ちになれなかったか

中世クラシック音楽界に目を向けてみよう。あの希代の天才モーツァルトは、天才音楽家ではあったが、経済的には恵まれず貧乏だった。

芸術家というものは、下積み時代が長く、貧乏なものだという常識的な考え方もあるだろうが、モーツァルトと同じ時代を生きた音楽家にも裕福な者は確実にいた。

もともと家が裕福であったり、芸術で成功していたりと、色々なパターンはあったが、**「芸術家でも裕福な者」は確実に存在した**のである。

当時の音楽家は、宮廷や貴族、教会などに雇われ、雇い主の意向に沿った作曲をすることで生計を立てていた。

モーツァルトも同じように働いていたが、雇い主と折り合いが悪くなったり、仕事が気に入られなかったりと、その仕事は長くは続かなかった。

自分の意にそわない曲を作らなくてはならず、それを不満に感じていた彼は、今でいうフリーランスの音楽家として数々の傑作を生み出し、成功していった。

当然、十分な収入があったはずだが、その生活は貧しかったと言われている。

貧しかった理由は、一般的には、彼と彼の妻の浪費癖にあったと言われているがそうではない。**彼が貧しかった真の理由は、彼の才能に相応しい収入が得られていれば、「彼と彼の妻の浪費癖」を上回る十分すぎるほどの収入が得られていたにもかかわらず、そのような状態にはなっていなかった**ことによる。

当時から、金持ちとなっていた多くの作曲家は、自曲についての権利（今の著作権のようなもの）を管理し、その使用料で生計を立てていた。

しかし、モーツァルトはそれをせず、曲をその都度切り売りして生計を立てていた。なぜならば、「権利を活用する必要など感じないほど汲めども尽きぬ作曲の才能があった」からである。

だからこそ、他の作曲家のように、権利の管理や活用などせずとも、自ら次々に創作する曲の切り売りでも何とか生計を立てていくことができたし、それで充分に食えていたがために、**権利を利用する必要性に気づくことさえできなかった**のである。

ギャンブルや高価な服を好んでいた彼らは、入ってきた収入のほとんどを使い切ってしまうことが多かった。それにも関わらず、夜な夜な友だちと飲み歩き、その全部をモーツァルトがご馳走するということを繰り返していたというが、それは現在の人気アーティストだって似たような生活のはずである。けれども、例えばポール・マッカートニーがその浪費癖で貧乏になるはずがない。彼は自分の浪費以上に稼げているのだ。

もしモーツァルトが権利で儲けることを考え、彼の能力に見合った収入を得ていたのであれば、それこそ、どんな使い方をしても使い切ることができないような莫大な財を成していたに違いない。

長所というものは、短所の裏返しなのだ（長所は短所を作るものだ）と、改めてそう思う。しかしながら、これこそが、モーツァルトがお金持ちになれなかった理由である。

ずば抜けた才能はなくても、優雅な一生を送ったプッチーニ

一方、その約百年後に誕生したプッチーニは、音楽家の家庭に生まれたが、子どものころは目立った音楽の才能を発揮することもなかった。

それでも伝統ある音楽院で教育を受け続けた。

生活のためにオペラを作った彼は、コンクールに応募するも落選。しかし、リコルディ社という大手楽譜出版会社に見初められ関係を結ぶ。

これにより、プッチーニの作品の出版権はリコルディ社に帰属することとなるが、プッチーニは上映権料のような性質の「ギャラ」を受け取ることができるようになり、生活が安定していった。

プッチーニはもちろん、音楽家として今もその名を轟かせている天才音楽家のひ

とりではあるが、モーツァルトには遙か遠く及ばないだろう。

もし、プッチーニが曲の切り売りで生計を立てようとしても、途端に創作が枯渇し、行き詰まることになるのは目に見えている。これはプッチーニ自身もよく分かっていたことであろうから、何とか食いつないでいくための別の方法を探すしかなかったのだ。


幸いにもプッチーニは、リコルディ社に属することができた。**モーツァルトがフリーランスの作曲家ならば、プッチーニは組織とうまく契約を結んだ作曲家**である。安定した環境の中で、オペラのヒット作を生み出し、経済的困窮も解決した。

さらに、ミラノ音楽院の教授としての招聘や、ヴェネツィア音楽院の院長の依頼まであった。実際にこの役職を受けることはなかったが、人気者であることが裏づけられるエピソードである。

歴史に名を残すも、貧乏音楽家で生涯を終えたモーツァルト

「貧乏モーツァルト」などと、あえてモーツァルトの経済状況を大げさに表現してはいるが、モーツァルトがそこまで貧困にあえいでいたかといえばもちろんそうではなかった。

今のレートに換算して、当時の中産階級の年収が5百万円程度だったのに対して、モーツァルトの年収は2千万円を超えていたとも言われている。今でいえば高収入のセレブには違いない。

とはいえ、クラシック音楽史に永遠に名を残すこの希代の音楽家の年収が2千万円と聞くと、ちょっと少ないように思えてしまう。

今の世界で人気の高いビヨンセがワールドツアーやCD売上などで稼いだお金が118億円とも言われているが、もし今モーツァルトが生きていてマスコミやインターネット、イベント等に登場したとしたら、その出演料だけでも年間数百億円

に達することは間違いなかったのではないだろうか。

しかしながら、モーツァルトが生きていた時代のクラシック音楽の世界では、音楽家のマネタイズに関して、まったく異なるもうひとつの事実が浮かび上がってくる。そして、それこそ、モーツァルトが年収2千万円の音楽家として生涯を終えざるを得なかった理由に違いない。

そもそも芸術家とは生き方であって、職業ではない。

その芸術家が生きる糧として稼げる収入源といえば、教会や王侯貴族のお抱え音楽家として、給料を貰うしかなかった。**モーツァルト自身は、そんな束縛から解き放たれ、自由に創りたい曲を創って収入を得るような人生を模索し始めたひとり**だったようだ。

そんなモーツァルトの収入源はといえば、王侯貴族の専属音楽家としての給料、演奏会の出演料、王侯貴族やその子弟へのレッスン料、楽譜の出版料、パトロン達からの寄付、そして音楽家としての主収入というべき作曲料であったことが推測される。

しかしながら、作品の評価とは異なり、モーツァルト自身の人間的な評価は低く見られていたようで、王侯貴族や当時経済的に潤っていたブルジョワジー達からの評判は決して高くなかったようなのだ。つまり、ファンの層がそれほど厚くはなかったということのようである。

オペラこそ金持ちプッチーニの最大の収入源

当時、プロフェッショナルの作曲家として成功するということは、オペラで成功を収める作曲家になることとされていた。

キリスト教会や王族・貴族の雇われ音楽家という地位から決別し、芸術家としての音楽家となるための条件が、まずはオペラで成功を収める作曲家になることだったのだ。

今でこそ著作権という概念が存在し、印税という報酬とともに楽曲が奏でられ、楽譜が売られているが、19世紀以前の作曲家の収入といえば自らの演奏料やいわゆる出演料でしかなかった。

しかしながら、オペラだけは違っていた。

映画もテレビもない時代の総合娯楽芸術として、演劇と舞踏と音楽が融合し、豪華絢爛な衣装や舞台装置を背景にしたヒーローとヒロインの物語という、まさに壮大なる究極のエンターテイメントだったのだ。

そのオペラにかける膨大な費用、そのオペラを興行として成り立たせるための大劇場という舞台装置と観客席のための巨額の投資。そして、それを成功に導くか否かを決定づける中心人物として作曲家は存在したのだ。

さらに、人気となる演目に集う王侯貴族や大富豪達といったセレブリティ達との交流や支援もまた、作曲家達の果てしのない資金源になっていたに違いない。

この**オペラ作家という側面で見たときには、モーツァルトというのは成功を約束された天才オペラ作曲家ではなかった。**

ところが、プッチーニは、「マノン・レスコー」の成功を皮切りに、「ラ・ボエーム」、「トスカ」、そして前述の「マダム・バタフライ」の三作により希代の人気イタリア・オペラ作曲家としての名声を確立したのだ。

不遇な最期を遂げたとも言われているモーツァルトと、音楽界では時代遅れという評価も一部にありながらも大衆に愛され、裕福な人生を遂げたプッチーニ。その違いは、決して才能の違いではないことは、もはや言うまでもないことだろう。

オペラが有する音楽家としての多彩なマネタイズの方法、すなわち成功の黄金律に従順だったプッチーニと、そのオペラに背を向けたと言っても過言ではないモーツァルト。

才能と成功は、同じ次元では存在しない。ある分野での天才性が、そのまま経済での成功に直結しないことを知っておくことは、成功を目指すすべての人への最も大切な警句であることを、モーツァルトとプッチーニというふたりの天才音楽家が教えてくれているのだ。

プッチーニのように自らの才能を知り、ビジネスにつなげた者だけが生き残る

プッチーニは、まっとうな音楽教育を受けてきたことにより才能が開花した努力型の音楽家と言えるだろう。それゆえに自分の能力の限界を理解していた。

そこで、モーツァルトのような曲の切り売りをしていくフロービジネスではな

く、大きな企業に依存し、権利を活用するストックビジネスに切り換えた。

実際、才ある者というのは、事務的な手続きをあえて取って権利を管理し、当該権利を活用して自らを守り、安定した収益を取るなどという面倒くさいことを考えないものだ。

権利を取り、管理し、ときにはそれを主張し活用することで、そこから収益を得るのはむしろ弱者の側である。

サラリーマンはサラリーマンという立場を活かし、組織に守られた自分の権利をしっかりと主張するということもむし

ろ賢い生き方のひとつではないだろうか。

はっきり言ってモーツァルトは天才であり、それは疑いようのない事実である。**むしろ、天才過ぎたと言ってもよい**。しかし、残念なことに、音楽の才能はあっても、ビジネスマンとしての商才はなかった。

プッチーニは自分をよく知り、どうすればその才能をマネタイズしていくことができるかを考えることができた。

ビジネスマンとしての才能と、音楽家としての才能の両方を持ち備えていたのである。

どちらがいいということではなく、要は、**それぞれに最適なやり方があり、それを見誤らないことが最も大切**だということである。

画家としてもビジネスマンとしても天才だったピカソ

同じ天才音楽家でも、〝貧乏モーツァルト〟と〝金持ちプッチーニ〟が存在したように、同じ天才画家でもお金に対する才覚次第では〝貧乏〟と〝金持ち〟に分かれてしまうことも少なくない。

あの天才画家ピカソと、同じく天才画家ゴーギャンの場合を見てみよう。

プッチーニが音楽界きっての俊才ビジネスマンであったのと同様に、パブロ・ピカソもまた美術界きっての、いやすべての芸術界きっての天才的ビジネスマンだった。

前衛的かつ独創的な画風で知られるピカソだが、元々はどこまでも正統派でクラシカルな画風の若き絵描きのひとりでしかなかった。

しかし、「青の時代」を機に、自らの作風を目まぐるしく変化させながら、20世紀最大の天才芸術家の名を欲しいままにして、膨大な作品を遺している。

ピカソは、世界の美術史上最も稼いだ画家であると言われ、その遺産の評価額は日本円換算で7千5百億円以上とも言われている。

彼がこれだけの資産を遺すことができたのは、尽きることのない才能と旺盛な制作活動によるものであることはもちろんで、あの『ギネスブック』には生涯に約1万3千5百点の油絵とデッサン、10万点もの版画、3万4千点の挿絵、3百点の彫刻と陶器を制作し、史上最も多作な美術家であると記されている。

しかし、私たちが注目すべきは、そのピカソの「ビジネスに対する目のつけどころと商才」だ。

ピカソは、自ら様々な権利を創出していた。

たとえば1枚の絵画が完成したときに、それを優先的に購入できる「優先購入権」のような類いの権利である。これは、ピカソのファンクラブに入ることで、優先的にピカソの作品を購入できるという特権をマネタイズしたものだ。

ピカソはまた、自らが人気作家であるということを誰よりも深く自覚していた。レストランに出向き、テーブルクロスにサインすれば、そのテーブルクロスは特別な価値を持つ。たった1枚の紙ナプキンであっても、ピカソがそこになにかを描き、サインするだけで、世界にたった1枚の芸術が生まれるのだ。ピカソがそこに投じた時間ではなく、ピカソがそこに存在したというその事実そのものが高い価値を生むのだ。そして、紙ナプキンに数秒で描いた素描にも、ピカソは相応の謝礼を要求したという。

さらに驚くべきこととして、ピカソは買い物をしたときにたとえ少額であってもわざわざ小切手を切ったという。

ピカソのサインが記された小切手は、その額面を遥かに超えた価値で売買されるため、換金されることもなく、当然の結果ながらピカソ自身がその小切手の額を負担することはほとんどなかったというのだ。

ピカソは、**芸術作品という自らの成果物のみならず、才能、人気、存在といういわば目に見えない自らのブランドすべてをマネタイズする、まさに天才ビジネスマン**だったのだ。

才能では負けなくても収入で負けた貧乏ゴーギャン

一方、もうひとりの天才画家、ゴーギャンを見てみよう。

ゴーギャンもまた、平均的なフランス人よりも高収入のエリート証券マンのひとりだった。パリの一等地に暮らし、裕福な男の趣味の一環として絵画を収集していたが、趣味が高じて自らも絵を描くようになった。

皮肉なことに、その後の銀行の破綻に端を発したフランス大恐慌により、所有していた株は大暴落し、収入も激減。しまいには、職も失ってしまった。

妻と5人の子ども達の生活を支えるために、画家として生きていくことを決断したゴーギャンだったが、とりわけ特徴のない平凡な絵を描いていたため絵も売れず、貧困を極め、ついには家族と別れ、逃げるようにタヒチに渡ったというのが真相だ。


タヒチで描いた絵をもとにパリで個展を開いても認められず、猿を飼い、自らも奇妙な格好をした異端の芸術家として自らを売り込もうとしたが、結局は貧乏なまま南の島でその生涯を閉じた。

人生の差は才能の差だけではない

ピカソとゴーギャンというふたりの画家の才にどれだけの差があったかは美術評論家の評価にまかせるしかないが、現在、ふたりの作品はほぼ同じくらいの価格で売買されていることは紛れもない事実だ。

ところが、同時代の画家からも見放され、不遇の死を遂げざるを得なかったゴーギャンと、栄光と賞賛に囲まれながら惜しまれて華々しく生涯を終えたピカソ。

その違いが、それぞれの絵描きとしての才能や技量だけではなかったことだけは知っておきたいと思うのだ。

金持ちピカソと貧乏ゴーギャンの差は画才の差ではなかったのだ。

まとめ

- 天才が成功するのではなく、成功の仕方を知る人間が天才になる
- 貧乏 モーツァルトには権利を活用する必要を感じないほど尽きない作曲の才能があったがゆえに、権利活用で大儲けする機会を失った。長所は短所を生じさせる。これこそモーツァルトが成功できなかった理由である
- 金持ち プッチーニは将来、曲の創作が枯渇して行き詰まることを見越し、安定した組織の中でオペラのヒット作を生み出し、経済的困窮も解決した
- 才能と成功は、同じ次元では存在しない。プッチーニのように自らが弱者と認識し、自らの才能を知り、ビジネスにつなげた者だけが生き残る
- 金持ち ピカソは作品そのもののみならず、才能、人気、存在という目に見えない自分のブランドすべてをマネタイズする天才ビジネスマンであった

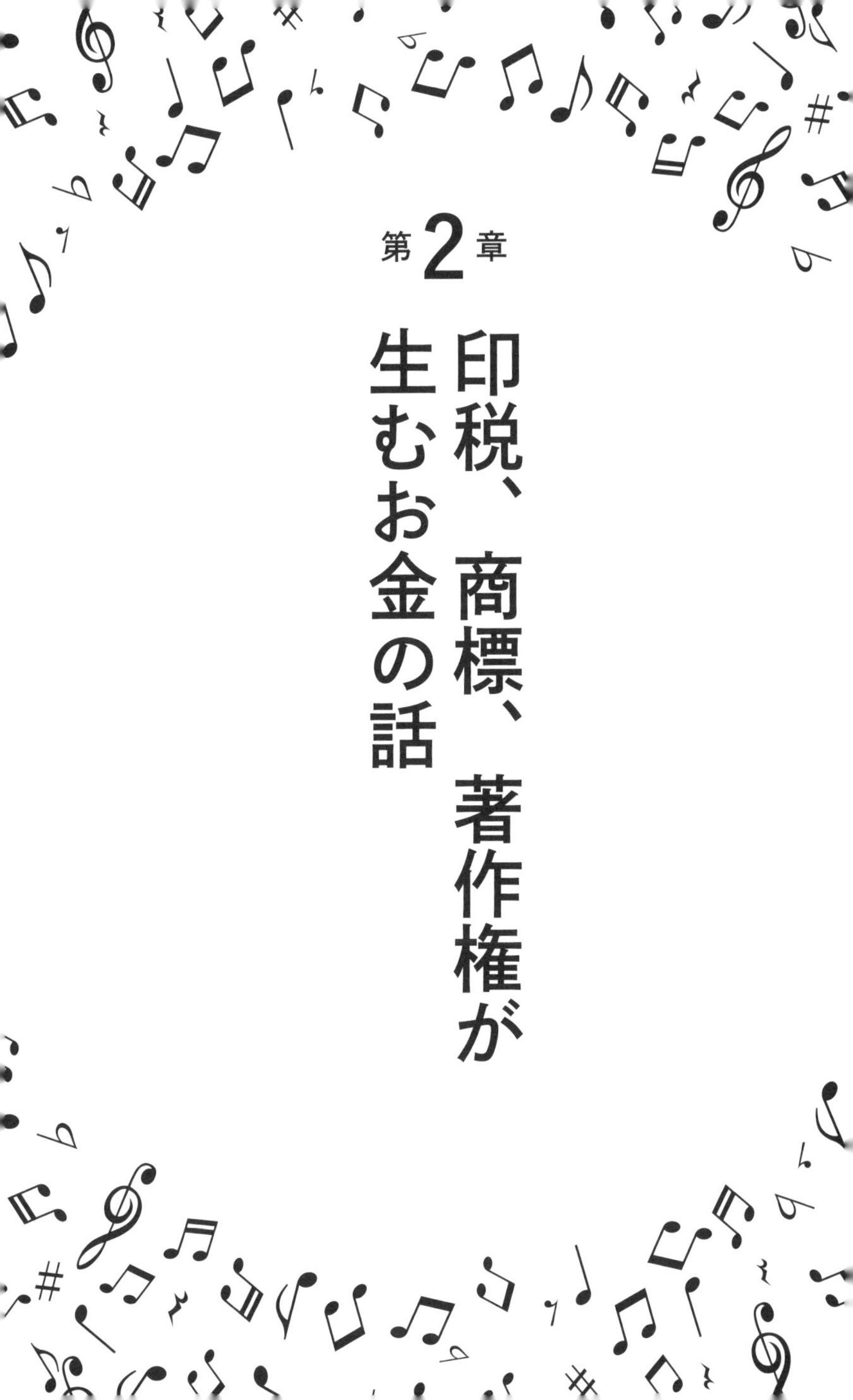

第2章

印税、商標、著作権が生むお金の話

夢に終わる、夢の印税生活

「夢の印税生活」という言葉がある。

どうも、この場合の印税生活とは、いわゆる不労所得を指している。ちゃちゃっと小説かなにかを書いて、それが売れればその後はなにもしなくても印税で食べていける。そんな書き終えたあとの不労所得生活を、「夢の印税生活」と言っているのだろう。

いわゆる印税は、小説や音楽等の著作物に対する報酬で、おおよそ本やCDなどの定価の8〜10%くらいであろうか。ポイントは、たとえばそれが小説などの文学だとしたら、いったん書いてしまえばあとはなにもしなくても、自動的にお金が手に入るという〝夢の仕組み〟だ。

もちろん、不労所得といってもまったく仕事をしないで済ませられるわけではない。小説家は身を削り、心を削り、まさに命と引き換えに作品づくりをしている。だが、同じ小説でもそれが何部売れるかによって、印税額はまったく違ってくる。

いくら文学的に高い評価を受けようが、売れなければ貧乏モーツァルト作家に甘んじるしかないだろう。

反対に、**文学的な評価は低くとも、売れれば売れた分だけ金持ちプッチーニ作家として「夢の印税生活」を謳歌できる**のだ。

数億円の印税を稼ぐ金持ちプッチーニ流行作家たち

作家といっても、貧乏モーツァルト作家から金持ちプッチーニ作家まで、まさにピンからキリまでいることは想像に難くない。しかも、貧乏モーツァルト作家が、金持ちプッチーニ作家より文学的に劣るかといえばそうではない。

毎年、芥川賞、直木賞をはじめ、多数の文学賞を多数の作家達が受賞するが、その受賞は決して金持ちプッチーニ作家になれることを保証してくれるものではない。

とはいえ、いったん流行作家ともなれば桁違いの印税を手にするのも事実だ。

『火花』で芥川賞を受賞した又吉直樹氏の印税は3億円を下らないとも言われるし、『騎士団長殺し』の著者、村上春樹氏の印税は2億4千万円とも言われている。定価×発行部数×印税率が単純な印税額の計算方法だが、一般的な印税率は10％で、人気有名小説家になると12％に上昇することもあるらしい。

しかしながら、**金持ちプッチーニ作家として流行作家生活を謳歌する人気作家達はやはり一握りの存在**だろう。貧乏モーツァルト作家として、作家生活を続けられるひとはまだ恵まれた方で、大半のひとたちは作家稼業に見切りをつけ、作家以外の仕事を生業にしているのが厳しい現実のようだ。

ちなみに著作権の有効期間は、現在の日本ではその作家の死後70年と定められている。

つまり、その作家の子どもや孫も、作家の死後70年間は印税を受け取れる権利が相続できる（２０１８年12月30日以降）。

たとえば、１９７２年に亡くなった川端康成氏の著作権は、70年後となる２０４２年まで有効となり、その印税は川端氏のお子さんやお孫さんの収入になっていることが推測される。

残念ながら、明治の文豪夏目漱石氏の場合は、１９１６年に亡くなっているため１９６６年で著作権も切れ（当時の著作権の有効期間は、作者の死後50年だった）印税の支払いもストップしてしまっているのだろう。

もちろん、作家だけでなく、漫画家等の作品にもこの著作権や印税は該当する。漫画家の手塚治虫氏が亡くなったのが１９８９年だから、２０５９年、つまりあと40年は「夢の印税生活」が続くと申し上げたらご遺族に不謹慎とお叱りを受けてしまうだろうか。

𝄞 貧乏モーツァルト漫画家と金持ちプッチーニ漫画家の天国と地獄

既に述べたように「夢の印税生活」がかなえられる、もうひとつの職業がある。それが漫画家だ。

ただし、「夢の印税生活」に至るまでには険しい人気漫画家への苦難の道が待っている。

漫画家の世界には、「連載貧乏」という言葉があるという。人気漫画家の佐藤秀峰氏が書かれた『漫画貧乏』（ＰＨＰ研究所）という漫画エッセイにその全貌が詳しく書かれているが、簡単に言ってしまえば、**漫画家は自らの作品が単行本として出版され、そこからの印税収入が入るまでは、描けば描くほど貧乏になっていく**という。

漫画家の収入源は主にふたつ。ひとつは漫画誌等での原稿料。そしてもうひとつが単行本として出版されたときの印税だ。

実際、天文学的な印税を稼ぐ漫画家も多数存在する。『ONE PIECE』の尾田栄一郎氏の場合、総発行部数が４億部、１冊の印税が40円としても１６０億円。『進撃の巨人』の諫山創氏の場合、発行部数7千万部として約10億円の印税を稼いでいることが推測される。

『Ｄｒ．スランプ』や『DRAGON BALL』の鳥山明氏、『SLAM DUNK』や『バガボンド』の井上雄彦氏をはじめ、トップ１００の年間の印税収入の平均は

7千万円を突破するとも言われている。

これにアニメや映画の放映権や、様々なキャラクターグッズの権利等を加えたら、いったいどんな額になるのだろうか。

まさに、金持ちプッチーニ漫画家軍団だ。

時給数百円の貧乏モーツァルト漫画家軍団達

ところが残りの、といっても**少なくとも単行本が出版されている漫画家の印税収入は3百万円を切る**らしいのだ。

さらに、前述したように、漫画界には「連載貧乏」という言葉があり、連載漫画を抱えれば抱えるほど、貧乏になっていくらしいのだ。

いくら連載料をもらっても、そこからアシスタントへの支払いや税金等を引くとほとんどお金は残らず、コンビニでアルバイトをしたほうが遙かに稼げるという。

アシスタントに至っては、時給180円という恐ろしい話まで載っている。

一握りの中の金持ちプッチーニ漫画家以外は、全員が貧乏モーツァルト漫画家と言っても過言ではないかもしれない。

ほとんどの漫画家、漫画家志望者はたとえ溢れる漫画の才能があっても、それが単行本として売れる金持ちプッチーニ漫画家になれなければ、貧乏モーツァルト漫画家として誰にも知られず散っていくことが、漫画という夢

の世界におけるもうひとつの過酷な現実なのだ。

𝄞 貧乏モーツァルト漫画家から、金持ちプッチーニ漫画家に

同じひとりの漫画家でも、生涯に渡って同じような人生を辿るひとばかりではない。時代が変われば、同じ漫画家でも置かれる環境は一変する。

『ゲゲゲの鬼太郎』で著名な水木しげる氏を例に挙げて説明してみよう。

貧乏モーツァルト時代の水木氏が、漫画家「水木しげる」としてデビューしたのは、30歳を過ぎてから。しかも、最初は漫画家どころか紙芝居作家だったのだ。画家を目指して美術学校で学びながらも、徴兵検査を受け戦地へ。左腕の切断というハンディを背負いながらも、紙芝居作家として細々と活動を続けていた。

正式に漫画家となったのは35歳のとき。当時は貸本屋時代だったが、売れない貧乏モーツァルト漫画家時代のまま『墓場鬼太郎』シリーズを描いたときには、40歳近くになっていた。

しかし、その後の**劇画ブーム、アニメブームに乗り、貧乏モーツァルト漫画家の水木しげる氏が、金持ちプッチーニ漫画家に変身していった**のは、ご存じのとおりだ。

この水木しげる氏も、買取り報酬の紙芝居作家時代から、印税報酬の漫画家時代で、桁違いの報酬を受けるようになったことは言うまでもないだろう。

晩年には、紫綬褒章や旭日小綬章を受章し、水木しげる記念館が開館されるなど、世界的な漫画家として尊敬を集め、東京・青山葬儀所での「お別れの会」では約8千人近い方々が参列されたという。

※出典：『ねぼけ人生』（ちくま文庫）
『ほんまにオレはアホやろか』（講談社文庫）

著作物のすべてが知的財産として保護されるわけではない

純粋に作家が著作として発表した作品の場合は問題ないが、その作者がタレントとなると話は少しややこしくなってくる。

芸能人やタレント、芸人達は、それぞれがいわゆる事務所に所属している。その事務所が印税を〝中抜き〟するということがほぼ既成事実のように語られている。又吉直樹氏の場合、所属事務所の「よしもとクリエイティブ・エージェンシー」(吉本興業)に半分近く〝中抜き〟されているという報道も見かけた。

著作権は、印税だけに留まらず、テレビドラマ化や映画化等の放映権等、さらに大きく膨らんでいく。所属事務所とは、あらかじめ印税配分をめぐって、なんらかの契約をかわしているに違いないが、所属事務所からすれば、タレント・有名人としての知名度により、その印税がもたらされたことは間違いないと主張するだろう。

又吉氏と同様に、『ホームレス中学生』（幻冬舎）がベストセラーになったお笑いコンビ麒麟の田村裕氏の場合はどうだったのだろうか。

彼もまた、累計2百万部突破という異例の売上を記録したが、その印税収入の3分の1以上は、所属プロダクションの収入になっているとも言われている。

また、吉本興業は、所属していたお笑いタレント・島田洋七氏と印税配分をめぐって騒動も起こしている。島田洋七氏が自費出版からシリーズ累計6百万部を超える大ベストセラーに仕立てあげた『佐賀のがばいばあちゃん』（徳間書店）の印税について、吉本興業側が島田氏に印税配分を求めたことから両者の関係が悪化。この騒動の結果、島田洋七氏は吉本興業を去っている。

貧乏モーツァルト時代のタレントと、金持ちプッチーニ時代のタレントとでは、その考え方や主張も当然のことながら違ってくるだろう。

いずれにせよ、**著作権という知的財産権がいったい誰のものかということは、い**

つの時代にも互いの主張が食い違うことだけは忘れてはならない。

ひとはブランドを愛し、商標にお金を払っている

あなたは、スターバックスとセブンイレブンとマクドナルドのコーヒーを飲み比べたことがあるだろうか。目隠しをして、それぞれの味を飲み分けることができるだろうか。

それぞれの価格は言うまでもないが、私たちはコーヒーという飲み物を選んでいるわけではなく、それぞれのブランドを選んでいることは間違いない。

少なくとも、スターバックスに求めているのは単なるコーヒーの味わい以上のものであることは言うまでもないのだ。

これこそ、**商標権の本質**だ。商標権とは、ロゴやマークなどのデザインを保護す

るための権利で、基本的な有効期限は10年間。ただし、更新料を支払えば、何度でも更新することができる。

そのロゴやマークを見れば、「あのブランドだ」「あの店だ」「あの会社だ」と、一目でわかるようなデザインが商標登録の対象となるため、他人の使用を排除することも目的のひとつになる。

以前、ドトールコーヒー系列のエクセルシオールカフェが、スターバックスに似たロゴを使ったときも、すぐさまスターバックスは商標権侵害として大いに問題とし、直ちに必要な措置を取ってきた。

機会があれば、スターバックスとタリーズのコーヒーを飲み比べていただきたい。スターバックスを選ぶ大概の人は、スターバックスのコーヒーが好きなことはもちろんだが、それ以上にスターバックスという企業の精神や取り組みを敬愛しているからだ。

ところで、東京の恵比寿等に猿田彦珈琲という小さなコーヒー専門店がある。スターバックスよりも高いくらいの値段だが、いつも行列が絶えない店だ。

中小企業が大企業に勝つことは決して不可能ではない。そしてその鍵のひとつに知的財産権、とりわけ商標という存在があることを覚えておいていただきたいのだ。

色々ないから「色だけの商標」

商品やサービスを他人の商品やサービスと区別する目的で使用される標識のことを商標という。

トレードマークといえば商品の商標のことで、サービスマークといえば文字通りサービスの商標のことだ。

視覚、つまり目で見てわかる文字、図形、記号等平面的なことや、商品、看板など特徴的な立体形状のものを商標として登録することができるのは直感的に理解できるが、これらだけではなく、**「色の商標」「位置の商標」が認められている**ことをご存じだろうか。

2019年6月の時点で登録されているのは、トンボ鉛筆の消しゴムのケースに使われている「青・白・黒」の組み合わせと、セブンイレブンの看板や商品に使われている「白・オレンジ・緑・赤」の組み合わせだ。

一般的には、色だけの商標登録は極めて困難であり、色の組み合わせであっても難しい。このふたつの事例は特殊な例である。

特許庁の見解では、どちらも30年以上に渡って使い続けられている上、市場でのシェアも高く、積極的な宣伝を続けている点等を重視したということだが、一般消費者の認知度の高さも商標登録の決め手になった。

なお、特許庁によると、この「色の商標」も現在数百以上の出願がなされているといい、企業の登録への関心も高いという。

けっして他山の石ではないことだけは申し上げておきたい。

色を認めるなら音も認めろ、「おーいお茶」の音商標

他人の商品やサービスと区別するための目印が商標なら、**音楽的要素のみで他人の商品やサービスと区別する「音商標」**があってもいい。と、考えるひとがいても不思議ではない。

そして、そのとおり、メロディーやハーモニー、リズムまたはテンポ、音色など音楽的要素のみからなる商標の存在をご存じだろうか。

それが「音商標」であるかどうかはご存じなくても、きっとこれらを聞いたことのないひとはいないだろう。

「おーいお茶」
「エ・バ・ラ、焼き肉のたれ」
「ファイトー、イッパーツ」

「おーいお茶」では、「本商標は、『おーいお茶』という人の音声が聞こえる構成となっており、全体で4秒の長さである」と規定されている。

「ファイトー、イッパーツ」については、「本商標は、『ファイトー』と聞こえた後に、『イッパーツ』と聞こえる構成となっており、全体で約5秒間の長さである」と規定されている。

「ブルーレットおくだけ」や、あの「正露丸」のラッパのメロディーも「音商標」として登録されている。

50年前から使われてきた「エ・バ・ラ、焼肉のたれ」の商標登録が実現されたときの社内の喜びの声が聞こえてきそうな、そんなエピソードも「音商標」ならではのものだろう。

ジョブズならきっと許さなかった「Apple Watch」

「iPhone」といえば、あのAppleを最も象徴する登録商標だ。

Appleの他の製品にも、決まって頭に「i」のイニシャルがついている。「iMac」、「iBook」、「iPad」、「iPod」、そして「iTunes」、「iPhoto」、「iSight」と徹底して「i」を頭に冠したグローバルブランドだ。これだけ「i」にこだわるために要したライセンス料は、いったいいくらになるのだろうか。

もちろん、Apple社がすでに所有していた商標もあっただろうが、すべてがそうではないだろうことは容易に想像がつく。

ちなみに、現在のApple社の繁栄を支え、Apple社の象徴といってもいいあの「iPhone」に類似する登録商標「アイホン」と「AIPHONE」を保有していたのが日本の「アイホン株式会社」だった。

結果的にApple社は、商標のライセンス料を支払って、「iPhone」という名称を使っているのだが、その**ライセンス料は年間1億円にも及ぶと推測されている**。また、日本語でアイフォンではなく、アイフォーンと呼称しているのもこの商標権によるものだろう。

ちなみに、Apple社の創業者であるスティーブ・ジョブズ亡き後にApple社から販売された腕時計型情報端末の商品名は、「iWatch」ではなく「Apple Watch」だった。

ジョブズなら、たとえいくら払おうとも、「iWatch」という名前にこだわっただろうと思うのは私だけだろうか。

著作物を守った商標権

知らないひとはいないだろう「ミッキーマウス」。当然「ミッキーマウス」も商標登録はされている。

結局キャラクターは、著作権で守るのか、商標権で守るのか、どっちなのだろうと思われたひともいるかもしれない。

キャラクターの場合、その原画が「美術の著作物」として著作権による保護が認められているケースが多い。キャラクターのデザインは著作権による保護だけで十分とも考えられるが、**著作権も実はパーフェクトではない**。

著作権は出願しなくても発生するが、この場合、権利を主張するためには、自らが作り出したキャラクターであることを証明するものを残しておかなくてはならない。「たまたま似たような著作物を創作しただけです」と言ってくるような第三者が現れ、その人がそれを証明してしまえば、自分の著作物だと言えなくなってしまう。そこを**カバーするのが商標権**なのである。

蘇り続けたミッキーマウスの延命措置

アメリカ合衆国におけるディズニー社の存在価値、ステイタスがどれほどのものか想像できるだろうか。

ちなみに、AppleやGoogleに代表されるアメリカの大企業の半数以上は、タックス・ヘイブンといわれる租税回避地に本社を置き、巨額の租税回避を実施している。

ところが、ディズニー社はそんな小細工は労せず、利益から定められたすべての税金をアメリカ合衆国に納税している。そんなディズニー社を、国や政治家達が軽々しく扱うわけはない。驚くべきことに、ディズニー社の著作権を守るために、合衆国の政治家達は一丸となって法律そのものを変えてくるのである。

アメリカの著作権法は、ミッキーをはじめとするディズニー社の主要なキャラクターの著作権が切れる直前になると、その保護期間の延長を定める改定措置を何度も繰り返している。

アメリカで初めて著作権法が誕生したとき、その保護期間は14年間と制定されていた。その後も改定措置が繰り返され、保護期間は延びる一方だったが、現在とは異なり、著作物保護のために登録が必要であった当時、申請を行う者はごく一部でしかなかった。

ミッキーマウス登場の以前から、著作権を主張したい一部の有力者のために保護期間を延ばす措置は行われていたのだが、ミッキーマウスの登場により、その傾向が一層高まったのだ。ミッキーマウスは1928年に公開された「蒸気船ウィリー」でデビューを果たしたが、当時の著作権法に従うと、その権利は1984年には失効してしまうことになっていた。

そのためディズニー社は、その保護に向け、さらに合衆国を動かすことになる。

１９７６年、アメリカ連邦議会は著作権法制度の大幅な見直しを決定した。

これまでの法律では、「作品発表から56年間」であったものを、ヨーロッパの基準である「著者の死後50年間」に変更された。

これにより、ミッキーマウスは、２００３年まで著作権法で守られることになった。そして、２００３年が近づくと、またもお決まりの活動が始まったのだ。

１９９８年に著作権法延長法が制定され、著作権の保護期間は原則として「著者の死後70年」となった。しかも、法人の場合は「発行後95年間」または「制作後１２０年間」のどちらか短い方が適用されることとなった。

さらにミッキーマウスは、２０２３年まで著作権で保護されることになっている。

これらのことは**「ミッキーマウス延命法」とか「ミッキーマウス保護法」**などと揶揄する形で呼ばれている。

2023年もすぐそこに迫っているが、アメリカの著作権法はもちろんすでに改定を前提に動いており、「著者の死後110年」までという話も出ているくらいだ。

これらのことが「フェアユース」の観点からすると長過ぎるのではないかという批判もあることは事実だ。

「フェアユース」とは、批評、解説、ニュース報道、教授、研究または調査等が目的の公正な利用であれば、著作権者の許諾がなくても著作物を利用できる制度であるが、少なくとも**ディズニー社の著作物に関しては、「フェアユース」さえも認められていない感さえある。**

日常を忘れさせてくれるディズニーランドの裏側には、常識さえも超えた非日常の法律が存在する。豪華につくられている建物の数々は、アメリカ合衆国という巨大な国家に守られた著作権料でできているのである。

まとめ

- 貧乏 不労所得のイメージがある作家の「夢の印税生活」は、文学的評価がよくても売れなければ夢に終わる
- 金持ち いったん流行作家となれば桁違いの印税を手にするのも事実
- 金持ち 作家がタレントの場合は、印税をもたらすものは自らの才能だけではなく、知名度も要因となるため、所属事務所との印税配分が常だが、トラブルになるケースもある
- ひとはブランドを愛し、ブランド名にお金を払っている
- 金持ち 商標を守ることでブランドを確立すれば、中小企業が大企業に勝つことは不可能ではない
- 金持ち トンボ鉛筆の消しゴムケースの「青・白・黒」の組み合わせなど色の登録商標もある

● 金持ち 「おーいお茶」などの音も商標となり得る

● 商標権は著作権の脆弱性をカバーする

● 金持ち ミッキーマウスの著作権保護のためにアメリカでは法律が改正され続けている

第3章

知財ビジネスモデルの勝ちパターン

ラーメン界のモーツァルト

ラーメンほど日本人に愛されている国民食はない。

海外からのインバウンド客も、日本のラーメンは観光目的のひとつにさえなっている。

行列の絶えないラーメン店に外国人が並んでいる姿を見ることも少なくなく、実際、外国人向けの観光ガイドにはたくさんのラーメン店が紹介されている。

そんなラーメン業界で、今、一大勢力となっているのが、**横浜に店舗を置く「吉村家」を総本山とする「家系ラーメン」**だ。

豚骨醤油のスープに太麺と大判のチャーシューと、丼からはみ出すほど大きな海苔、刻みネギやタマネギのトッピング、そしてほうれん草が、黄金色のスープに浮かび上がり、ここまで書いているだけで食べたくなってしまう。

あえて商標で縛らない「家系」という職人つながり

「家系ラーメン」と呼ばれるようになったのは、「吉村家」で働いていたスタッフや、この店の味にインスパイアされたラーメン職人たちが、「吉村家」にならい「○○家」という店舗名で独立開業するようになったことから始まる。

今では、**ラーメン界の一大勢力を担う一派と言っても過言ではない。**

実際「吉村家」が直系と認めているのは、「吉村家」で修行し、その味や技術で一定基準を満たした「杉田家」、「はじめ家」、「厚木家」、「高松家」、「上越家」等の数店のみだ。

しかし、実際には「家系ラーメン」と名乗っている店舗はもっと多い。なんの断りもなく、勝手に名乗っている店が増えてきてしまったということだ。

「吉村家」としては、総本山の座を揺るがすようなことをすれば対策も講じるが、ただ単純に「○○家」と名乗っている限りは、「家系ラーメン」のブランドを広げてくれているものとして、干渉しない態度を貫いているようだ。

「吉村家」は「〝家系〟総本山吉村家」で商標登録をしているが、「横浜家系ラーメン」を含む登録商標は複数存在し、権利者も異なったりしている。

通常、ラーメン店というのは、3～4年の修行期間を経て独立開業するのが一般的だが、この「吉村家」ではその修行に10年を要すると言われている。たかがラーメンとは言えないそのこだわりは、まさにラーメン界のモーツァルトと言っても過言ではないだろう。

ラーメン界のプッチーニ

一方、関東を中心に多店舗展開する「日高屋」は、手軽な値段設定で学生やサラリーマンにたいへん人気のあるチェーン店だ。

「吉村家」のようなやり方では、数店舗の経営が限界で、売上や利益の天井は見えている。チェーン展開することで大きくマネタイズしていくことができると考えたのが「日高屋」の創業者だ。

チェーン店といえば、ターゲットはファミリー層で、郊外に大型店舗を出店するというのが外食産業界のひとつのセオリーだった。

しかし、**「日高屋」はターゲットを学生やサラリーマンに絞り、駅前や大通り沿いに出店した**のである。

株式公開も果たし、今も成長を続けている。

味のこだわりよりも、ビジネスとしての成功に徹底した、まさに、ラーメン界のプッチーニと言えるだろう。

ラーメン職人かラーメンビジネスか

「吉村家」の店主は、明らかに日々ラーメンを作ることに喜びを覚えているタイプである。

そのため、店舗を増やそうとか、もっと儲けてやろうなどといった思考はおそらくあまり持っていない。それより、毎日目の前にいるお客さんを喜ばせることが生きがいなのだろう。

弟子をとって独立させたり、障害者の福祉施設に寄付をしていたりと、どちらかというと社会貢献に重きを置いている。そのことで「吉村家」が後世に名を残す老舗になれば本望で、お金はあくまでそれに伴ってついてくるということなのだろう。

「家系ラーメン」が「家系ラーメン」そのままで商標登録されていれば、増え続ける自分とは「他人」である「家系ラーメン」を名乗る店舗に対して権利行使することもできただろうが、それをしなかったために慣用商標化してしまい、誰でも使えるようになってしまっている。

まさに、ラーメン界のモーツァルトとして、職人気質を貫き毎日ラーメンを作り続けているのだ。

一方の「日高屋」は、ラーメンも餃子ももちろん美味しいのだが、ラーメン作りに重きを置いているというより、効率的な店舗経営とチェーン化等、企業としての成長に重きを置いている。

まさに、プッチーニ的な稼ぎ方であると言えるだろう。

株式を上場させた今、株主に対する責任等にも神経を注がなければならないなか、一杯のラーメンに対するこだわりや情熱は「吉村家」の方が勝っているのかもしれない。

職人気質の「吉村家」、根っからのビジネスマンの「日高屋」。
同じラーメンひとつとっても、こんなにも違う志と顔を持つものなのだ。

どちらの店に行きたいか、どちらのラーメンを食べたいかということではなく、どちらも必要であり、そのときの気分や状況で使い分けるのが正解なのだろう。
ちなみに、「日高屋」は株式会社ハイデイ日高によって商標登録されていることを申し添えておこう。

ハンバーガーではなくポテトで稼ぐマクドナルド

マクドナルドで売っているのは、言わずと知れたハンバーガーだ。だが、**マクドナルドの収益を支えているのは、ハンバーガーではない。**

マクドナルドがハンバーガーの味にこだわり続けていたら、今も人知れず人気の貧乏モーツァルト・ハンバーガーショップとして、創業以来のその味を頑固に守り続けていたかもしれない。

しかし、今や世界最大のファストフードチェーンのひとつとして君臨するマクドナルド。

マクドナルドといえばハンバーガー、ハンバーガーといえばマクドナルドというのが、日本の常識と言っても過言ではないだろう。

だが、その収益を支えているのはハンバーガーではない。マクドナルドのハンバーガー1個の定価は100円、その原価は45円といわれる。そう、ハンバーガーは原価が高く、実は儲からない商品なのだ。最も儲かるのはなんだろう？

ちなみに、コカ・コーラは、コカ・コーラ社から販売されているので、わざわざマクドナルドに行かずとも、世界のどこでも買うことができる。けれども、ハンバーガーより利益率が高い。

実を言えば、原価率8%という算定結果があるほど利益率が高い上に、販売数も多いのはマックフライポテトである。つまりポテトが、マックの利益を支える基幹商品なのだ。

しかし、実はそれも真実ではない。

マクドナルドという会社の正体は、ハンバーガーをはじめとする商品を売って儲けるファストフード・カンパニーではなく、**フランチャイズ店との店舗賃貸契約料をその収益源とする不動産カンパニー**とも言えるのだ。

その上、単に不動産賃貸業であるだけではなく、**フランチャイズにより、売上増とリスク回避を同時に図っている。**

しかも驚くことにそのビジネスモデルは、マクドナルドの創業期に培われた、創業者レイ・クロックが構築した巧妙とも言える画期的なビジネスモデルだったのだ。

マクドナルドはハンバーガーを売る不動産会社だった

この辺の話は、映画「ファウンダー ハンバーガー帝国のヒミツ」（ジョン・リー・ハンコック監督）に詳細に描かれている。マクドナルドがどのようにして世界的な企業に発展していったのか、実話に基づいた映画となっている。

マクドナルド自体の創業者はレイ・クロックだが、**マクドナルドという店をゼロから立ち上げたのは、マック・マクドナルドとディック・マクドナルドという兄弟**だ。

ミルクシェイクミキサーの販売をしていたレイ・クロックは、たいした業績を上げることもできずにいたが、なぜか妙な自信とともに「自分はもっと成功できる」と信じ込んでいた。

ある日、とあるレストランから大量のミルクシェイクミキサーの注文が入り、早速その店に向かったレイは、これまでにないスピードでハンバーガーを提供する革新的な店を目の当たりにする。それがマクドナルドだった。ビジネスの勝機にピンときたレイは、なんとか自分も経営に絡みたいと、マクドナルド兄弟にフランチャイズ化を提案した。

儲け主義のレイと品質最優先のマクドナルド兄弟では、店舗経営に対する考え方がことごとく異なったが、純真に経営を続けるマクドナルド兄弟をじわじわと追い込み、ついにはフランチャイズ化契約にこぎつけた。

身近な友人たちを巻き込み、フランチャイズ契約を増やしていくレイは次第にマクドナルド兄弟のことを無視し、勝手な行動を取り始める。

事業は順調に拡大し、店舗も増え始めたが、レイは自宅を担保に入れても足りないほどの資金難に陥った。

そんな中、銀行に資金繰りを掛け合っているときレイが出会った**会計士のハ**

リー・ソナボーンから、マクドナルドのビジネスを不動産業に転換するようにアドバイスを受けた。 そのアドバイスとは、土地を取得して加盟店に貸し、その賃料を取ることで事業を安定させるとともに加盟店を支配するというものだった。

不動産ビジネスで会社を設立したレイは、マクドナルド兄弟を一気にたたみかけ、ハンバーガーに関することには契約に縛られるが、店舗を増やすことに関してはレイの自由を勝ち得た。

最終的にレイは名前ごと、奪い取るような形でハンバーガービジネスを買い取った。

今のマクドナルドの繁栄の陰には、こんな成功への階段があったことを知る者は少ない。レイのような非情なやり方には、賛否両論あろうが、ビジネスの世界で、ここまで企業を大きくするためには、必要なことであったのかもしれない。

なぜ、レイはマクドナルドに関心を持ったのか。映画の冒頭では、マクドナルド兄弟が作り上げた「効率よくハンバーガーを提供するシステム」が画期的であったから、とされていたが、最後の最後に、マクドナルド兄弟自身も気が付いていなかった、とある「価値」に言及する。

レイが最も「価値」を感じ、惹かれていたのは、「マクドナルド」という名前であった。映画の中では、〝レイの名字である「クロック」という店名では、決して繁盛しない。「マクドナルド」だからこそだ〟というシーンがある。

皮肉にも、マクドナルド兄弟が生まれ持った名字の語感に一番価値があったということである。

それが、この映画のテーマであるような気がしてならない。このことを考えると、レイ・クロックのことを憎む気にはなれないのである。

ブランドを捨て、技術と利益を選んだブリヂストン

世界で最も販売額が大きいスポーツ用品は何か？　それは、ゴルフボールである。

推計で6百億円から1千億円とされているが、その額の算定根拠となっているのはゴルフボールに注がれた特許情報というから興味深い。**ただのゴルフボールに、米国だけで2千件以上の特許が申請されている**というのだから驚くばかりだ。

そして、ゴルフボールの最大手ブランドがアクシネット社の「タイトリスト」だ。以前はダンロップやブリヂストンという世界的なタイヤメーカーが、ゴルフボールでも高いシェアを有していた。

しかしながら、**今や「タイトリスト」は圧倒的なナンバーワンシェアを誇っている。**

ゴルフクラブの進化が止まったと言われて久しい中、ゴルフボールだけは相変わらず弛みない進化を遂げていると言っても過言ではない。それは、ゴルフボールには実は相反するふたつの性能が求められていることに起因する。

プロ・アマを問わず、ゴルフボールにまず求めるものは飛距離に違いない。スコアで負けても飛距離で負けなければ、ゴルファーのプライドは保たれることからもこのことがよくわかる。

しかしながら、ただ飛ぶだけのボールではゴルフというスポーツでは用を成さない。特にグリーンの上ではしっかりとスピンがかかり、止めたいところに止まるというコントロール性が求められるのだ。

飛んで止まるという、相反するふたつの性能をかなえるために、ゴルフボールメーカーは腐心に腐心を重ねる。

素材、構造、表面のディンプルという穴の形状まで、ありとあらゆる特許がそこに注がれているのだ。ドライバーでより遠くに飛ばすためにはボールの硬さが欠かせない。しかし、ボールをコントロールするためにはスピンをかけやすい軟らかさが求められる。

飛びを選ぶか、コントロールを選ぶか、長い間ゴルファー達は、プロ・アマを問わず厳しい選択にさらされてきた。

そこに現れたのがブリヂストンだ。研究に研究を重ねた結果、マルチピースボールといわれる多層構造により、**すべてのゴルファーが求める、「飛んで止まるボール」を実現した**のだ。

軟らかな表面素材とソフトなコアの間にハードな中間層を挟むことで、これまでのゴルフボールの弱点を補いながら、さらなる飛距離とコントロール性を両立した画期的なゴルフボールが誕生したのである。

対する「タイトリスト」は、その飛びとコントロールの秘密を研究し尽くし、特許の抜け穴を探すのだが、最終的にはブリヂストンに特許料を支払い、ブリヂストンの技術を使って「飛んで止まるボール」を誕生させた。

マーケット、すなわち多くのアマチュアゴルファー達は、そんなことは知る由もない。長年使い続け、しかも敬愛するプロゴルファーが今も使い続ける「タイトリスト」を選ぶのだ。

ブリヂストンは知っている。「タイトリスト」のファン達の心のシェアを奪還することの難しさを。彼らのブランドアイデンティティの高さを。

あえて、さらなる闘いを「タイトリスト」に挑むのでなく、**技術力を高額なパテント料と引き換えに「タイトリスト」に譲り渡すことで、膨大な利益を自分達のものとしている**のだ。

販売力での不毛な消耗戦はあえて放棄して、名を捨て実を取ったブリヂストン。技術力という苦手な戦いからは撤退し、名を取り実も得た「タイトリスト」。ゴルフボール市場という戦いの場で、両社はともに勝利したのだ。

広大な国土が開拓した「コカ・コーラ」マネタイズへの道

ミッキーマウスとともに、アメリカの象徴といえばコカ・コーラを置いてほかにないだろう。そして、同社も特許に絡んだ独自のビジネスモデルを展開している。

コカ・コーラはその大元を辿れば、薬として売り出された商品だった。コカ・コーラはあの独特の風味から、瞬く間に人気が爆発し、全米に広がっていった。しかし、アメリカ合衆国は広大な国土のため、当時の運搬技術では、南部のアトランタから全米各地に流通させるのは困難なことだった。

そこで、コカ・コーラ社は、ボトラーという独自のフランチャイズシステムを展開し、各ボトラー社にボトリング工場を作らせたのだ。各ボトラー社は地域の独占ビジネスであり、地元の酒造会社をはじめ商社等が資本参加している。

ボトラーの役割は、アトランタの工場から送られてきたコカ・コーラの原液を、シロップや砂糖などで薄め、炭酸水を入れて瓶詰めで販売することだ。

原液以外はすべて現地生産・現地配給となるため、アトランタ本社は瓶詰めの販売権を与え、基本的には無料で原液を供給している。

そして、ボトラーから商標の使用料の30%を取っていると言われている。つまり、**原液の売上では儲けず、商標使用料で売上を立て、儲けている**のである。これがコカ・コーラのビジネスモデルである。


しかも、**コカ・コーラの原液のレシピは特許で守られていない**ことで逆に有名だ。

特許権を得た発明は、20年間は独占できるが、特許は一度出願してしまうと、その特許が認められようが認められまいが、出願内容が公表されてしまう。

過去の出願内容を公開することで、後に出てくる出願者が似たような出願をする無駄を避けるための措置ではあるが、より良い出願を促し、知的財産レベルの向上を図る狙いもそこにはある。

こういった背景のもと、**コカ・コーラ社ではあえて特許は取らず、「門外不出の秘伝のレシピ」を誰にも明かさないことを徹底している。**

その真偽は定かではないが、本社の中でも社長と副社長の2名しか知る人がおらず、しかもその両名は同じ飛行機に乗らない、という話だ。

マーケティングという知的財産

コカ・コーラに含有されているカフェインや砂糖は、それぞれが非常に習慣性の高い嗜好品である。従って、これらを組み合わせたものは極めて習慣性が高くなり、いったん口に入れ、それを飲み込ませれば、あっという間に虜になってしまう。

ところが、人間の五感は、はじめは視覚から入り、聴覚、嗅覚の順に刺激を受け、最後に触覚（口に入れ、飲み込むことが触覚の一種）に訴える。

コカ・コーラのＣＭは爽やかなイメージを浸透させ、ゴクゴクという喉ごしを聴かせ、「飲みたい！」という気持ちを沸き立たせ、巧妙にコカ・コーラを消費者の口へと運ばせる。

現在では禁止されているサブリミナル効果という、人間の目では認識できない極短時間のコカ・コーラの商品映像を断片的に映像に組み込み、映画館での売上を倍増させたのもコカ・コーラ社が他社に先駆けて行ったマーケティングのひとつだった。

砂糖が多い炭酸飲料を、アメリカどころか世界を代表する飲料にまで育て上げたコカ・コーラ社は、ただの飲料会社ではない。

商標権を巧みに活用して、数あるボトラーからマネタイズする勝ちパターンを持った戦略的企業であり、人間の心理を読み、いかに商品を手に取らせるかという究極のマーケティング会社なのである。

特許申請数の違いに垣間見える、サントリーとコカ・コーラの世界戦略

アメリカでコカ・コーラが定番の人気であるのと同じように、日本人が好きな飲料で、はずせないものと言えばお茶であろう。飲みきる必要もなく、持ち運びにも便利なペットボトルの普及により、徐々に普及し始めた緑茶飲料も、今や飲料メーカーの主力商品となり、各社はかなり力を入れて商品開発をしており、戦国時代に突入している。

そんな中、**知財の世界では、サントリーの緑茶飲料「伊右衛門」の製法が特許として登録されたことが話題**になっている。レシピを隠すことが基本のコカ・コーラの戦略と真逆であるように見えるが、その狙いは何なのであろうか。

本物と見間違えるぐらい「サントリーのウーロン茶」に酷似したデザインのもの

や、「アサヒの十六茶」ならぬ、「17茶」などの商品がアジア諸国で売られたりしているが、パッケージや商品名でさえすぐにマネされるのだから、製法という、飲食物において最重要な部分を公開したら、相手は喜んで同じものを作るだろう。

特許を取ることにより、逆に日本の技術が海外に流出してしまうことになるので、飲料の世界でも、特許を取ることが必ずしも最善策ではないと言えるが、そこは日本を代表する大企業、サントリーのやることなので、何か考えがあるに違いない。

知財の世界には、「オープン&クローズ戦略」というものがある。「オープン戦略」とは、狭義には、無償もしくは安価で他社に知財を開放することであり、「クローズ戦略」は、逆に知財を使って実施を独占するか、もしくは情報をクローズすることである。

このふたつを組み合わせたものが、「**オープン&クローズ戦略**」である。**「オープン戦略」で他社の市場参入を誘導し、「クローズ戦略」では、自社が独占したい肝心要の技術を出さず、その技術で自社商品を際立たせて、他社商品と差別化を図り、自社の利益を拡大していくというのがこの戦略の狙い**である。

緑茶飲料と一括りにしても、安価なものから高級品までラインナップが幅広い。その中で勝ち残っていくためには、消費者に選んでもらえるような、分かりやすい特徴が必要であると言える。

「伊右衛門」は京都の老舗「福寿園」の茶匠が厳選した国産茶葉を100%使用した一番茶が特徴であり、「伊右衛門」の名称は「福寿園」の創業者の福井伊右衛門が由来である。**「伊右衛門」は「株式会社福寿園」により商標登録されており、全面的に「福寿園」を表に出した商品**となっている。

「京都」の「老舗」の「国産茶葉」というだけでも、かなり消費者の心をくすぐる商品になっているが、「京都」の「老舗」は多数あることは容易に想像できるので、他社でも似たような商品は作ることができてしまう。

そこで、伊右衛門の製法の登場である。サントリーのホームページによると「伊右衛門」のこだわりは、〝一つの石臼で一時間に数十グラムしかつくれない上質な抹茶だけを使っている〟ということだ。これは香りや旨みが損なわれないための〝効率を無視した抹茶の作り方〟であるとしている。

さらに、その〝石臼で細かく引いた茶葉を、高い圧力をかけてさらに細かくし、良質の粒子のみを取り出して使用する〟「微粉砕茶葉制御技術（茶葉の粒子サイズをコントロールする技術）」でお茶の甘みを引き出しているという。

「伊右衛門」のヒミツはここにある。サントリーは、〝超微粉砕茶葉分散液およびそれを配合した飲食品〟という名称で特許を取っており、石臼で茶葉を挽いて微粉砕する技術から始まる一連の工程が特許請求の範囲となっている。

「伊右衛門」の製造にはこの特許が使われているというわけだ。

例えば、中国の飲料メーカーが石臼で挽いた上質な抹茶を、微粉砕茶葉制御技術をマネして「伊右衛門」の味を再現しようとしたら、それは実現するだろうか。

私は、実現は不可能であると考える。お茶というのは繊細なもので、使用するお水の質や温度、お湯出しの時間から、使用する茶葉の量まで、もしかしたら、その日の温度や湿度、その土地の気候まで関係してくるかもしれないが、何かが変わると味も変わる。その部分は公表されていないので、「この茶葉をこういう技術を使ってお茶を作っています」と公表しても、同じ味を作るのは困難である。

おそらく、サントリーはこれを計算して特許出願に踏み切っている。マネされても問題ない部分である、**技術面はオープンにし、お湯の温度などの詳細なお茶の入れ方についてはクローズにしている。**

普通なら、茶葉の粒子をコントロールするなどの技術面を模倣されては困る、という考えが先に来ると思うが、実は、誰でもできる「お茶を入れる」という身近な行為の詳細を明かしていないのは、意外な盲点ではないだろうか。

これはお茶のことを知り尽くした老舗のお茶屋さんを味方に付けたサントリーの戦略勝ちであり、サントリーの持つ茶葉の粉砕技術などは公開しても、「福寿園」の無形の財産である「おいしいお茶の入れ方」という技術は公表しなかったと言い換えることもできるであろう。

ついでながら、サントリーの戦略は「特許というものは必ず公開される」という、一見するとデメリットに見えるものを有利に使う方法とも言えるだろう。

というのは、特許公報を見ると、「これだけこだわり抜いた製法により、きちんと作っている」ということに圧倒されてしまうからだ。

もしこれが、サントリーの新たな広報戦略の一環だとしたならば、それこそ発想の逆転であり、「特許取得を選んだサントリーは考えものだ」という発想の上を行くものである。

コカ・コーラとサントリーは真逆の知財戦略だが、どちらが正しいとか、どちらが良いとかいうわけではなく、どちらの会社も知財戦略に優れているということだ。特許を単なる「守る」道具として使っているわけではなく、一方は自社の技術を隠して神秘的に見せ、ブランド戦略に役立たせている。もう一方は技術を公開し相手を引き付け、実力の違いを見せつける。**それぞれの会社に見合ったストラテジーで知財を巧みに利用しており、知財活用の多様性を見せつけている。**

次ページの地図をご覧いただきたい。

世界各国で、コカ・コーラとサントリー、どちらが特許を多く取得しているか、という図になり、サントリーの公報件数から、コカ・コーラの件数を差し引いた差分を表示したものである。

この特許出願の件数を見ていくことで、その会社の戦略や、力を入れている地域、シェアなどがある程度予測できる。この地図から明らかなように、コカ・コーラは実はサントリーに負けないくらいに多くの特許出願を世界各地にしているのだ。決してノウハウだけで守っているわけではない。

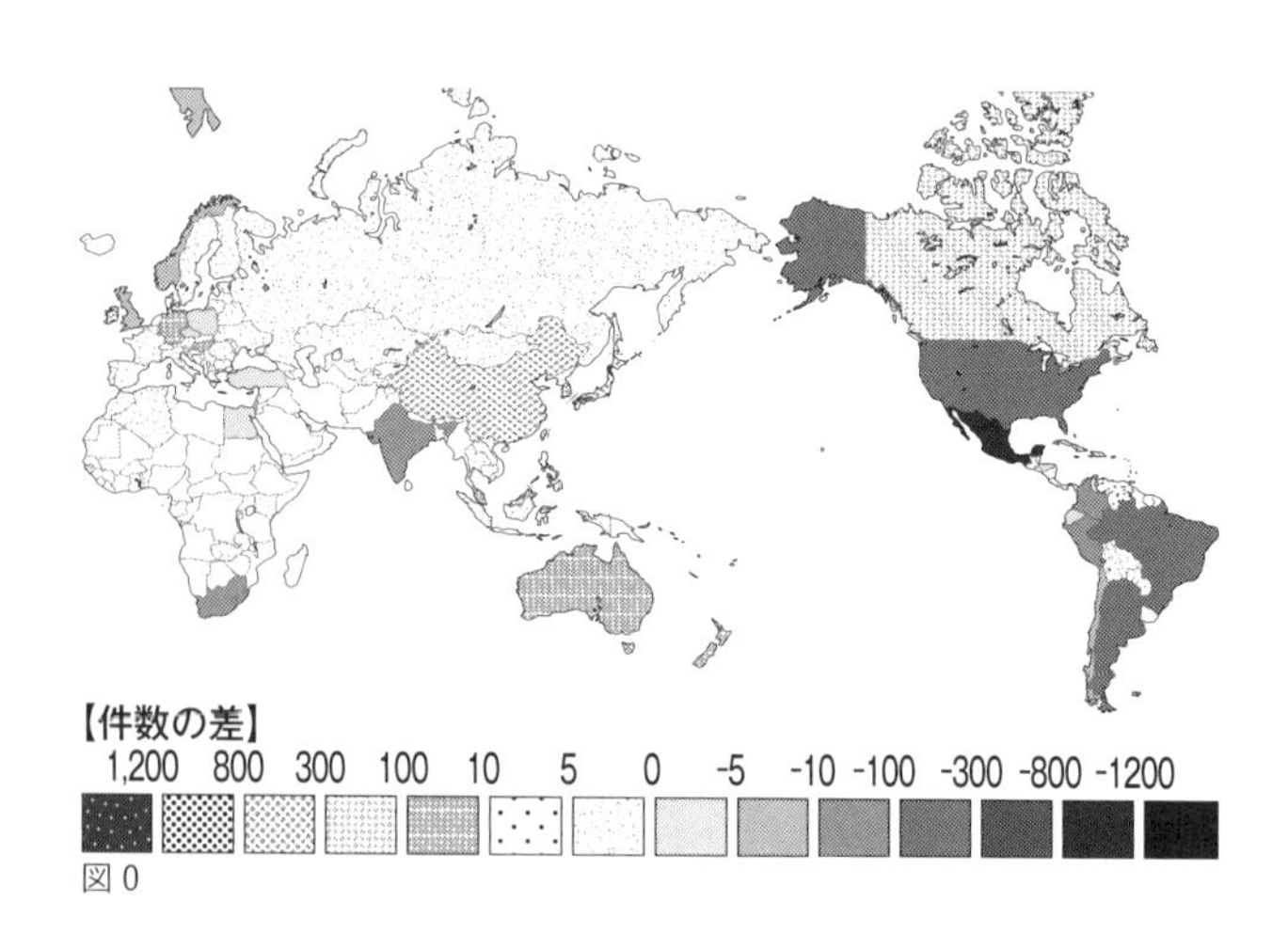

図 0

部品が完成品を従えた「インテル・インサイド」モデル

部品を組み立てて完成モデルとなるパソコンは、当然ながら完成品メーカーがブランドとしての主役だった。ところが「インテル、入ってる」というテレビCM以来、**インテルのMPUという基幹部品がパソコンの高性能の証し**として認識されるようになった。

「インテル、入ってる」という日本で生まれたキャッチフレーズは、「インテル・インサイド」という世界共通のキャッチフレーズになり、どのメーカーのパソコンでもインテルが入っているなら大丈夫という強烈なメッセージを世界のユーザーの心に刻み込んだのだ。

従来の下請け部品メーカーから、一躍基幹部品のナンバーワン供給メーカーの地位を確立したのは、このインテルという企業の特許をはじめとする知財戦略の巧みな勝利に違いない。

今や、**世界のパソコンの8割がこのインテルのMPUを搭載している**のは、決して成り行きの産物ではなく、どこまでも考え尽くされたインテルの知財戦略の賜物なのだ。

巨人インテルに立ちはだかった小さな魔物「パテント・トロール」

しかし、この巨人インテルの前に、ただひとつの特許を武器に立ちはだかった強者がいた。

テック・サーチという、ほとんど無名の赤字企業で、しかも何の製品もサービスも扱っていない。最終的には、テック・サーチの訴えは退けられ、敗訴するのだが、今も**「パテント・トロール」の第1号**として忘れられることのない知的財産を巡る闘いを繰り広げたのだ。

テック・サーチは、ある破産手続きした企業の清算過程で、ひとつの特許権を取得した。

そして、あの巨人インテルを特許侵害で訴えたのだ。

この事例が歴史的なふたつの大きな気づきをもたらしたことについて言及したい。

ひとつ目は、パテント・トロールという金儲けになるビジネスと、弁護士の新しい生き様が生まれたということ。

ふたつ目は、相手方を「トロール（ならずもの）」呼ばわりすることで、訴訟で有利になるということだ。

テック・サーチは、小規模の企業であったので敗訴したが、この事件をきっかけとして、その後大企業がパテント・トロールとしてビッグビジネスを展開するようになったのである。

〝特許の魔物〟を意味するこの「パテント・トロール」の存在こそ、今後日本の企業が最も警戒すべき存在であることだけは、どんなに強調しても強調し過ぎることはないだろう。

「パテント・トロール」は、自らの発明ではなく、多くの場合、企業の特許権を廉価で入手し、その特許権を盾に警告・提訴し、高額の賠償・和解金を要求してくる。「パテント・トロール」自体は、その特許を実施する意思・能力・施設は持たず、あくまで高額の損害賠償・和解金が狙いとなる。

自らはその特許を実施しないため、訴訟された企業としては自社の保有する特許権を根拠とする反訴等による交渉の余地がない。

その倫理観等の是非を語るのは別の場として、少なくともこの「パテント・トロール」が企業として存在し、突然、あなたの会社を訴えてくることがないとは言えないということを理解しておいていただきたい、ということである。

あのインテルでさえ、手を焼いた「パテント・トロール」。恐るべき「パテント・トロール」が次のターゲットに狙っているのは、あなたの会社かもしれないのだ。

高額なマシンではなく、低額な消耗品で儲ける「ジレット・モデル」

「ジレット・モデル」という言葉がある。ジレットとは、あの髭剃りのジレットだ。

髭剃りは、本体とその替え刃の部分からできている。本体は買い換えないが、替え刃はその名のとおり切れ味が悪くなれば取り替えなければならない。

いわゆる**消耗品を買わせて収益を上げるビジネスモデル**のことを「ジレット・モ

デル」というのだ。新製品の販売時に、髭剃りを無料配布したことで、あとは継続的に消耗品である替え刃を購入してもらえることを期待したこのキャンペーンを最初に行ったのが、ジレットだった。

「ジレット・モデル」を活用したビジネスは、今も様々な分野で浸透している。

たとえばウォーターサーバーやコーヒーマシン。これらは、本体である機械は無償で提供するが、ミネラルウォーターのボトルやコーヒーのドリップポッドは既定の業者から購入しなければサイ

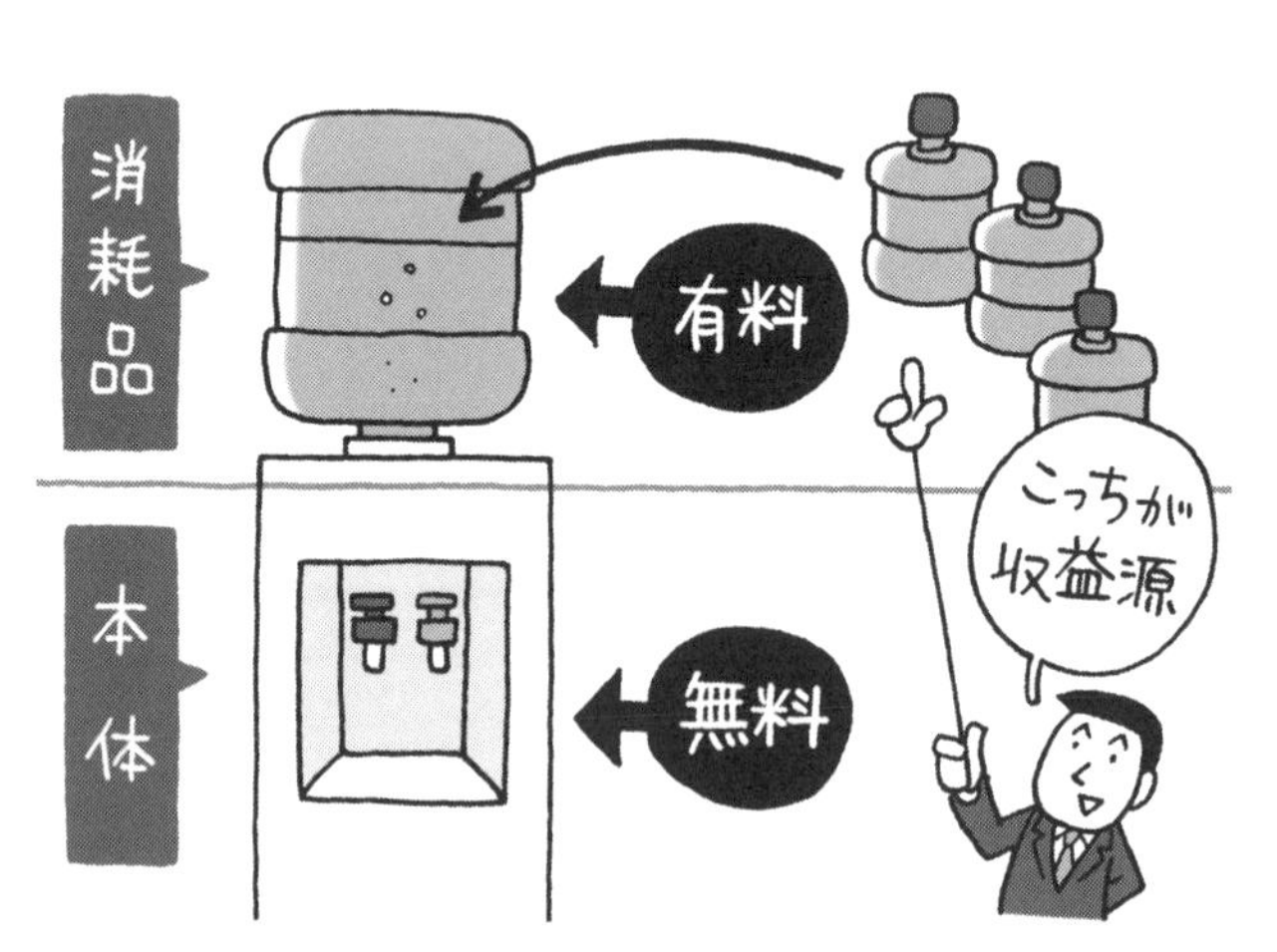

ズが合わないように作られている。

そして、**カメラメーカーのキヤノンも「ジレット・モデル」を採用した企業のひとつ**だ。

キヤノンは、自社のカメラが売れれば売れるほど売上を伸ばしていくコダックのフィルムが羨ましくて仕方なかった。そこで考えついたのが、コピー機やプリンター分野に進出していくことだったのだ。

今では、プリンターといえばキヤノンやエプソンというメーカーが有名だが、メーカー側はプリンター本体を安価で提供し、消耗品であるトナーやインクカートリッジを独占販売することで大きな利益を得ようとしている。

しかし、**消耗品でマネタイズしていくに当たり何よりも重要なことは、その消耗品を他社に取って替えられないよう、特許権などで保護していくこと**なのである。

そもそも「独占しよう」という意図が存在するのは、他社の追随を怖れているからだ。

キヤノンやエプソン等のメーカーが自社のプリンター用に製造したインクカートリッジは純正品と呼ばれ、品質の良さや、保守のクオリティ、プリンター本体との相性の良さを前面に出して販売されている。

それに対して、互換製品と呼ばれるものも存在している。大手メーカーのプリンターに互換性のあるインクカートリッジをその他のメーカーが作っていて、純正品よりも安価で販売されている。

この互換性インクカートリッジの存在は、純正品の販売を脅かすものになるため、純正品でないとインク漏れや画質の劣化等が起こりうるとかいろいろ理由をつけて純正品を選ぶように推奨している。

互換性カートリッジメーカーは、家電量販店から使用済みのインクカートリッジを回収し、それを綺麗に洗浄し、インクだけを詰め直して再販売するということもやっている。

いわゆるカートリッジのリサイクルだ。

特許訴訟まで想定した巧妙な開発力

その互換性インクカートリッジメーカーの行為が特許侵害であると、エプソンはエコリカという会社を、キヤノンはリサイクルアシストという会社をそれぞれ訴えた。その訴訟の争点は次の通りである。

キヤノン、エプソン側は、互換性カートリッジメーカーがインクカートリッジの特許を侵害する形で生産していると考えていて、訴えられた側のメーカーは、ただリサイクルしているだけだと主張している。

ただリサイクルしているだけなのであれば、特許の侵害などやりようもないので、互換性カートリッジメーカーにとっては訴えられたこと自体が青天の霹靂であった。

結論から言うと、キヤノンは勝訴した。

インクカートリッジに穴を開けてインクを充填するリサイクル方法がキヤノンの特許を侵害しているとしてキヤノンの訴えが認められたのだ。

その翌日、エプソンの敗訴が決まった。

訴えの根拠となった特許が「無効である」と判断されてしまったのである。

エプソンのプリンター用インクカートリッジを、エコリカがリサイクルする際に付け替える部品が、エプソンが特許を保有している「環状のシール材」の特許を侵害しているかどうかというところが争点だったのだが、権利行使の前提となる特許は無効で、エプソンの請求には理由がないとして、裁判に負けてしまったのである。

キヤノンの特許取得件数は常にランキング1位である。ただ単に件数が多いだけでなく、特許の資産規模も常にトップクラスを維持している。

このことから、キヤノンの特許は突出して評価の高いものであると言えるし、これはどの企業にも真似ができるものではない。

この裁判の肝となった点は、**キヤノンの特許は互換性インクカートリッジが出回ることをあらかじめ想定して、インクを再充填すること自体も特許の侵害になるような形で出願していた**ところにある。

単なるインクカートリッジの構造の特許にとどまらなかったということだ。

また、キヤノンは特許出願の際の要求事項が多く、特許庁の審査官から突っぱねられることが多々ある。

しかし、自分に有利な権利を通していくために、喧嘩になろうが、嫌われようが、妥協を一切せず、価値のある権利を積み重ねてきている。

一方、他メーカーは、審査官とは折衝もせず、形式だけの権利を取っていたり、その場しのぎだったり、後手に回るような出願の仕方が多い印象も免れ得ない。

要するに、**特許を取ることだけが目的なのか、特許を取ることで企業のマネタイズを最大限にすることが目的なのかという差**が非常に大きく、それがこの裁判の結果にも現れてしまったということだ。

そして、**知的財産権をマネタイズするためには、どうしたらマネタイズできるか、それを誰よりも真剣にそして戦略的に考えて、行動する、そんな組織づくりが欠かせない**ということなのだ。

𝄞 知的好奇心を知的財産権として活用した「漢検」

人間の様々な欲望の中でも、知識欲は最も尽きることのない欲望のひとつだ。
知的好奇心だけは、どんなに知識や知恵を溜め込んでも、それで満足するということのない、まさに底抜けの欲望とも言える。

ここのところのテレビ番組では、高学歴のタレントがその知識を競い合い、披露し合うクイズ番組が多数放映されている。
そういったマスコミに刺激され、知識を得たり勉強するということの必要性に駆り立てられ、その延長として資格取得を目指したり、検定試験合格を目指すひとも多いのではないだろうか。

書道家の先生が莫大な富を築いたという話は聞いたことがないが、**同じ漢字で生徒を集めるモデルでも「協会」を設立してプッチーニ的な大成功を収めたケース**を紹介しよう。

知識系の資格の中でも今最も人気がある資格のひとつ「漢字検定」、「漢検」といわれるものである。

この「漢字検定」は、公益財団法人日本漢字能力検定協会が商標権者となっている、登録商標である。また、それに関係する名称である「漢検」、「日本漢字能力検定」も商標登録を受けている。

この「漢字検定」、創設は1975年とその歴史は古いが、本格的なブームがやってきたのは、1990年から2000年代であろうか。

折しもパソコンやインターネットが急成長し始めた頃と重なる。

子ども達から大人まで気軽に受験できる点も大きいが、先ほどのクイズ番組のように、ちょっとしたもの知り顔ができるということもあるし、奇怪な漢字をスラスラ読めることは意外なくらい格好いいことなのかもしれない。

とはいえ、そんな人の感覚やプライドを刺激するような要素だけが理由でこの「漢検」が広がっていったわけではない。

なんといっても、**最も功を奏したのは、教育界を巧みに取り込んだこと**である。高校や大学入試や単位取得において、「漢検」を持っていることで成績を考慮する学校が増え始めたのだ。

資格ブームや携帯型ゲーム機の人気にも伴い、勉強しやすい環境が整っていったことも背景にある。

ニンテンドーDSが発売され、「脳トレ」や英語学習ソフトが爆発的な人気を呼び、ほぼ同時期に「漢検」公認のDS用ソフトが発売された。

遊び感覚で家族や友だちと競いながら、いつでもどこでも学べるようにしたのはまさに賞賛に値するアイデアと言っても過言ではない。

「漢検」の浸透は、マスコミを味方につけたのも大きい。

毎年発表される「今年の漢字」は、常に年末の話題のひとつになるが、これは日本漢字能力検定協会が募集し、発表しているものである。

先ほどもふれたように、テレビのクイズ番組とコラボレーションして出題していること自体多大なる宣伝効果を発揮しているが、それに加え、その出演者であるタレント自身が「漢検○級持っています」などと発言するたびに、自然に「漢検」の知名度が向上するのである。

このように、**「漢検」ビジネスの成功の理由は、プロモーションによるところが大きい。**

「漢検」ブームは、「漢検」側のスタッフが仕掛けたのか、単にうまくブームに乗ることができただけなのか、それはどちらかはわからないが、勝機をとらえて世間への認知に骨身を惜しまず、「漢検」の付加価値を上げていったことは間違いない。

知的財産で女性と台所を制した「野菜ソムリエ」

「野菜ソムリエ」という資格もまた、協会ビジネスの成功例のひとつだ。

女性タレントやモデルがこぞって取得している資格として、人気度、知名度ともに高く、この資格に憧れ感を抱いている女性は少なくない。

「野菜ソムリエ」は、「野菜・果物の目利き、栄養、素材に合わせた調理法など毎日の食生活に欠かせない野菜・果物の幅広い知識を身につけることで、家族の健康や食に関わる様々な仕事に活かすことができます」（野菜ソムリエ協会ＨＰより抜粋）とのことで、ワインを選ぶ「ソムリエ」と、「野菜」という言葉を組み合わせた造語である。

この造語、なんともうまく表現された言葉であると感じないだろうか。

聞いただけで、どのような知識を有している人なのか、はっきりと想像がつく上に、野菜といういわば大衆的な食材がワンランクもツーランクもアップしたように感じる。

もちろん、**商標登録されているので、協会が実施している検定試験に合格しないと「野菜ソムリエ」と名乗ることはできない。**

この「野菜ソムリエ」は、2001年に発足した一般社団法人日本野菜ソムリエ協会が認定する単なる民間資格でしかないのだが、そのイメージは、どこまでも高いのだ。

しかし、これもブームの先鞭をつけたのはマスコミだった。

美意識が高く、食に気を配っている有名モデルがこの資格を取得したと大きく報道したのだ。

モデルと食、明確な名称も後押しし、ヘルシーなイメージとともに、健康ブームに乗って知名度は飛躍的に向上していった。

そして、これもやはり、商標登録で権利を守ったことが肝となっている。

仮に商標登録をしていなければ、単なるキャッチフレーズとして誰もが「野菜ソムリエ」と名乗ることができてしまう。

せっかくセンスの良い造語を生みだしても、知名度が上がったと同時にあっさりと他人に使われてしまうわけだ。

このようなケースでも、権利の取得はビジネスに、そして知的財産のマネタイズに最も有効な手段となるのである。


協会ビジネスの成否の鍵は、権利を利用したマネタイズの仕組みと言える。

協会設立の理念と収益をどう両立させるかで、どんなに素晴らしいテーマを持った協会も貧乏モーツァルトのまま、存続さえも危ぶまれてしまうだろう。

金持ちプッチーニ協会ビジネスをかなえるためには、ここでも理念をカバーするマネタイズのための仕組み化と知財活用が欠かせないのである。

“Think Different” こそ知財ビジネスの命

この章のラストは、どうしてもこの人の話で終えたかった。
その人というのは、スティーブ・ジョブズ。

彼が遺した言葉に「死はおそらく生命が生んだ最高の発明だ」という一文がある。
56歳という若さで亡くなったジョブズの人生ほど、創造力に満ち溢れたものはなかっただろう。

“Think Different” という言葉とともに彼がこの世の中に放った数々の商品ほど、私たちを驚かせた知財の塊はない。
しかしながら、あの20世紀で最も個性的と言われたピカソが、「優れた芸術家は模倣し、偉大な芸術家は盗む」と言い放っていることを、まずあなたに伝えたい。

そして、「ピカソは、『優れた芸術家は模倣し、偉大な芸術家は盗む』と言った。だから僕たちは、偉大なアイデアを盗むことに関して、恥じることはなかった」と語ったのは、他ならぬスティーブ・ジョブズだったのだ。

知財について考えるとき、私たちは常に独創という哲学を忘れてはならない。けれど、**その独創とは、決して何もないところから偶然の産物として生まれるものではない**ことも忘れてはならないのだ。

特許より大切なのは特許の価値を創造すること

iPhoneの使い心地の象徴ともいえるマルチタッチのトラックパッドは、デラウェアにある小さな会社がすでに創っていたものだった。

彼らは、ピンチやスワイプといった指の動きを有効化する方法について特許を取得していた。
ジョブズは、この会社と特許をすべて買い取ることにした。
だからこそ、私たちはあの操作をひとつのエンターテイメントとしても楽しむことができる。

「知的財産が保護されなければ創造的な会社はなくなるし、新しく生まれることもない」と言い、海賊版サービスの蔓延を阻止し、音楽会社もアーティストも、ひいては音楽産業も救いながら、人々に自由に音楽を楽しむ喜びを与え、自社の価値も飛躍的に高めたiTunes。

確かにジョブズは、私たちに素晴らしい商品の数々を提供してくれた。
だが、私たちを幸せにしてくれたのは、その商品そのものではなく、Think Different的精神そのものだ。

知財の創造はもちろん最も大切な課題だが、その知財の限りない価値を引き出す

ことでひとを幸せに導くこと以上に、大切なテーマはないと私は断言する。

PCの世界で貧乏モーツァルトと金持ちプッチーニを分けたのは技術力ではない

アップルの創業者、ジョブズとウォズニアックは、単なるパソコンオタクではなく、テクノロジーをビジネスに変える術を理解していたからこそ、金持ちプッチーニになれた。

ビル・ゲイツもまた、創業期にライバル企業がＯＳのバグを気にして商品化を遅らせていたときに、バグを承知で商品として世の中に送り出した。

ゲイツもまた金持ちプッチーニだったのだ。

ジョブズやウォズニアック、ゲイツ以上のプログラマーも存在していたかもしれない。

しかし、彼らはマネタイズよりテクノロジーを優先してしまったことで貧乏モーツァルトとしてPCの歴史にも残らなかった。

両者を分かったのは決して技術力ではなかったことだけは再度強調しておきたい。

※出典：『Steve Jobs』ウォルター・アイザックソン著／井口耕二訳（講談社）

まとめ

● 貧乏? 職人気質の「吉村家」など「家系ラーメン」の弟子への暖簾分けモデル：権利行使を前提にした商標登録がなされていない

● 金持ち 「日高屋」の大量生産モデル：商標登録済み

● 金持ち マクドナルドは、ハンバーガーで儲けているのではなく、フランチャイズ店との店舗賃貸契約料を収益源とする不動産カンパニー

● 金持ち 理想のゴルフボールを研究開発したブリヂストン社は、その技術をアクシネット社に研究しつくされたが、高額の特許料を得ることで販売力の不毛な消耗戦からは逃れた

● 金持ち コカ・コーラはあえて特許を取らないことで原液のレシピを非公開にしているが、多くの関連特許も取得している

● 金持ち サントリーは特許を取得しレシピや技術を公開している。「お茶の入れ方」という無形財産は非公開（クローズ）にすることで、オープン&クローズ戦略を取っている

●金持ち「ジレット・モデル」とは、本体は無料で提供し、替え刃などの消耗品で利益を生むビジネスモデルである

●金持ち「漢検」はメディアを巻き込むことでブームとなった

●金持ち協会ビジネスの成功事例である「野菜ソムリエ」も有名モデルを活用した。健康ブームとともに知名度は飛躍的に向上し、商標権がその地位を守った

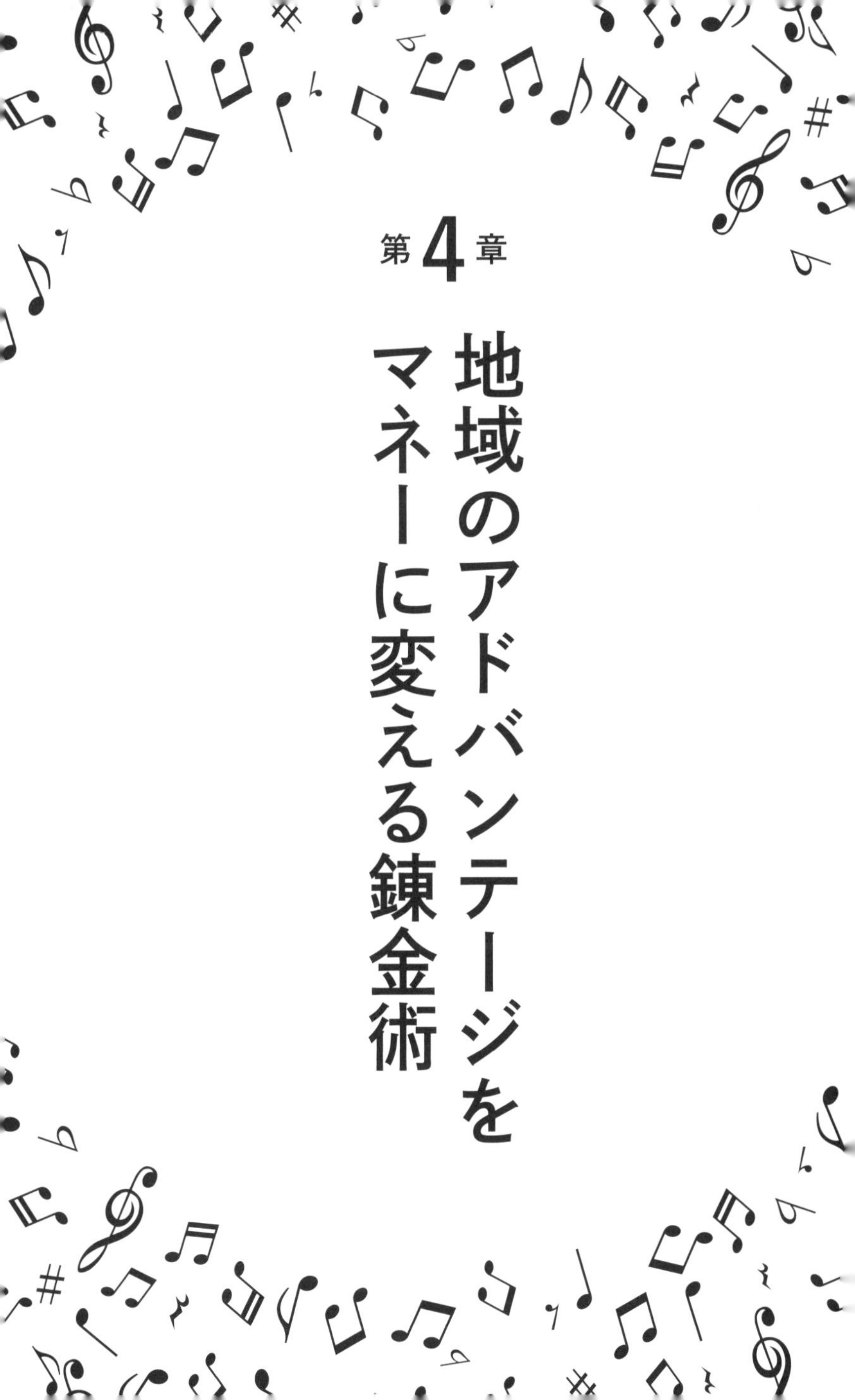

第4章

地域のアドバンテージをマネーに変える錬金術

最下位というナンバーワンを活かす

日本人に限らず、ひとはナンバーワンを好み、ナンバーワンを記憶し、ナンバーワンを支持する。

日本全国の各都道府県や地域の人気ランキングを調査・発表している「地域ブランド調査」の結果を見ると、ここにも金持ちプッチーニと貧乏モーツァルトの常連組が目につく。

上位にランクされる北海道、京都、沖縄等は不動の金持ちプッチーニ・エリアとして、それぞれの地域の持ち味を十二分に活かしながら、人気観光スポットはもちろん、駅から空港まで地域ブランドのマネタイズに血眼になっている。

対する最下位の方の常連組は、決して地域の魅力がないわけではないのだが、貧乏モーツァルトに甘んじている。

ところで、逆にこの最下位ということを活かした地域ブランディングは考えられないのだろうか。

ナンバーワンは〝一番〟ということで、いわゆるトップでなければならないということではない。

全国で一番人気がない、というキャッチフレーズは、中途半端な順位よりもむしろアピールポイントになるかもしれない。

ところで、5年連続地域ブランド全国最下位の県をご存じだろうか。

正解は、茨城県。

本書の論点は、ブランドという見えない資産をどうマネタイズするかということだ。

その観点から言えば、茨城県の5年連続地域ブランド全国最下位は、マネタイズのための格好のテーマとも言えるだろう。

中途半端な順位に甘んじたり、年度によって上がったり下がったりというのではなく、5年連続最下位というのは、むしろブランドとして話題性たっぷりだ。

栃木、群馬の「北関東」の2県も最下位に近い順位に位置しており、いっそのこと茨城と共闘したらどうだろうか。

「地域ブランド調査」は、民間調査機関の主催ながら、2017年で12回目の開催となる、日本最大規模の地域の人気ランキング調査だ。

そこで**5年連続最下位ということを材料として、PRできないものだろうか**。

こうした観点というか、目の付け所こそ、ブランドをマネタイズするために欠かせない条件のひとつに違いないのだ。

ぜひとも貧乏モーツァルトから、金持ちプッチーニに変身していただきたいと心から応援せずにはいられない。

非公認貧乏「ゆるキャラ」と、愛されてお金も稼ぐ金持ち「くまモン」

地域活性化の担い手として、日本国中で活躍した「ゆるキャラ」。今では一段落した感もあるが、あの「ゆるキャラ」ブームの最盛期、千体以上の「ゆるキャラ」が存在していたという。

中でも、**全国的な人気を誇った「くまモン」は、地域活性化の立役者**であった。その関連グッズの売上が、2016年に1280億円に達したと熊本県は発表している。

まさに金持ちプッチーニ「ゆるキャラ」と言っても過言ではない「くまモン」だが、「ゆるキャラ」ブームも終焉を迎えたかに見える今、様々なコストに耐えきれず、「ゆるキャラ」界では大規模なリストラが敢行されているとも言われる。

大阪府では、「もずやん」一体を残し、残りの44体がリストラされたという。

「ゆるキャラグランプリ」も２０２０年を目途に終了することも検討されているという中で、貧乏モーツァルト「ゆるキャラ」たちのゆるくない生存競争はますます熾烈になっていくだろう。

その中で「くまモン」ほど、商標の使い方について工夫が凝らされている「ゆるキャラ」はない。

通常、商標の使用をするに当たっては、たいていの場合は使用料を支払ってはじめて使用することができる。

しかし、**「くまモン」の商標使用は、原則的に無料**なのである。

原則的に、というのは、あくまで**熊本県のＰＲに貢献するかどうかがポイント**になる。

例えば、熊本県外のものでも、熊本県産のものを原料に使う商品については「くまモン」が使えるし、たとえ熊本産のものを使用していなくても、熊本県をＰＲするような文字をパッケージに入れるなどすれば、「くまモン」商標の使用料は無料になる。

さらに、個人の非営利使用であれば許可さえ必要ない。

その上、これまで国内のみに限られていた商標使用料無料が、2018年に入ってからは海外企業にも解禁することを発表している。

これまでは、管理が煩雑になるため、海外企業の使用は認められなかったが、熊本の知名度向上やインバウンド需要の増加につながると判断したという。

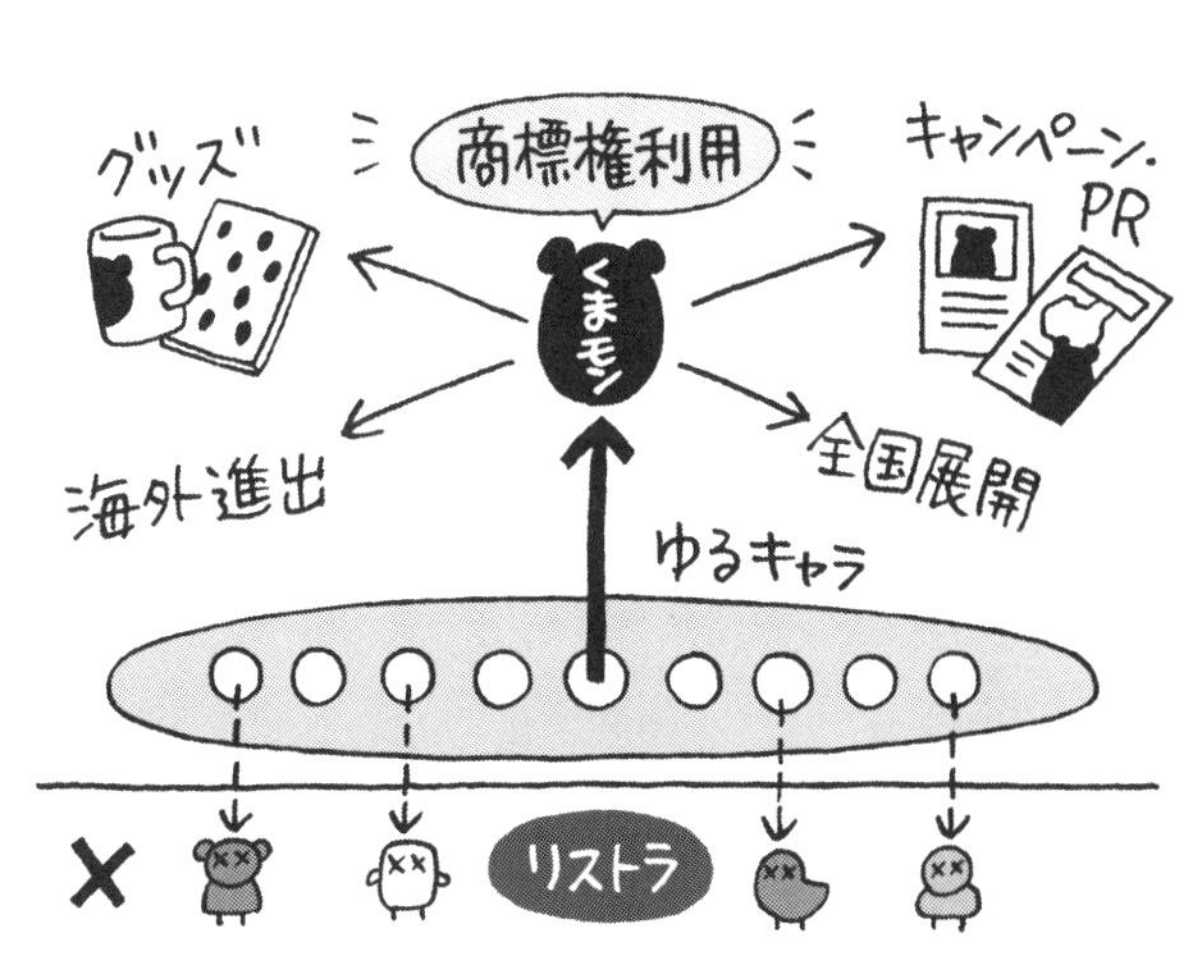

いや、むしろ**海外企業の利用を認めたことで、くまモンは世界中で知らない人がいなくなるほどのワールドワイドなキャラクターへと成長していく可能性もある**。

「くまモン」の本格的な海外進出は、そのまま日本への、とりわけ熊本へのインバウンド効果をもたらしてくれると期待したい。

マネタイズだけが商標権の活用方法ではない

商標権というものは、登録した商標の使用を独占し、他人の使用を排除する権利である。

他人が使用するのであれば、通常は金銭が発生する。しかし、商標使用料を生み出さない「くまモン」は資産としては意味がないように感じてしまうし、商標権を登録しても意味がないのではないかと考えてしまうかもしれない。

しかし、**管理下に置かれて〝あえて〟使用料を取らない権利と、無法地帯に置か**

れて使い放題のものは大違いだ。

「くまモン」ブランドをしっかりと確立させることにより、「使いたい」と思う人も企業も増える。

「くまモン」の最大の仕事は、熊本県のPRなのであり、直接的にお金を生みだすことではない。

「くまモン」と熊本県の認知度が上がることによって、たとえ商標使用料が無料でも、それ以上の計り知れない利益を熊本県と熊本県の企業と熊本県民にもたらすのである。

ちなみに「くまモン」のデビューは、九州新幹線の全面開業キャンペーンの時であった。

キャンペーンのロゴを依頼されたプロデューサーの小山薫堂氏とデザイナーが、より良いアピールになるのではと、ついでに提案してきたのが「くまモン」だった。

つまり、熊本県としては、ゆるキャラを作ろうと考えていたわけではなかったのである。たまたまとは言え、ここまで大きいビジネスになるとは夢にも思っていなかったであろう。

けれども、その状態で放置せず、商標権をとり、うまくビジネスにつなげていったのが素晴らしいのである。

農家のこだわりを守る「有田みかん」の商標

ある人のもとに実家の母親からみかんが送られてきた。

裏庭のみかんか、知り合いの農家からもらったものかわからないが、新鮮でおいしく、ビタミンCも補給できて、とても有り難かった。

もうひとりのある人のもとには、和歌山から「有田みかん」の詰め合わせが1箱送られてきた。

ネットで調べると1万円もする、非常に高価で高級な贈り物だった。

あなたは前者と後者、どちらのみかんを食べたいだろうか。


受け取った側の感激度であれば、前者の愛情みかんかもしれない。

しかしながら、贈答用という観点で言うと、見知らぬ人間から送られてきた不揃いのみかんよりも、ブランドみかんの方が数段価値が高いと言わざるを得ない。

前者は売りに出しても値段はつかないだろうが、後者であれば、場合によっては近所の八百屋が買い取ってくれるかもしれない。

これが、**ブランドの力、すなわち商標が秘めた商品の魅力づけの力**だ。


希少性という言葉をご存じだろうか。

人間には「手に入りにくくなるとその機会がより貴重なものに思えてくる」という傾向がある。その点で言えばただみかんと言われても、いつも積極的に食べたいとは思わないだろう。

それは、世の中にみかんがふんだんに存在し、希少性に欠けるからであって、決してみかんそのものに魅力がないわけではない。

しかし、「有田みかん」というだけで、今まで食べたみかんとは差別化された特別な存在になるのだ。

つまり「有田みかん」と名乗ることで金持ちプッチーニになれた有田のみかん。

しかし、素晴らしい品質を誇りながら、国内消費量の急激な伸びに比べて生産量がもの足りない国産オリーブのような例もある。

生産者のみなさんには、ぜひ金持ちプッチーニを目指していただきたい。

地方の名産品は、その地域の経済を支える大切な収入源となり、国と地域を挙げて守っていかなければならないものである。

これに応えるため、地域の特産物を保護するための「**地域団体商標**」というものが存在する。

これは、地域ブランドを適切に保護し、信用力の維持による競争力の強化と地域経済の活性化を支援することを目的としたものである。

通常の商標権との違いは、「地域名＋商品名」の組み合わせからなる文字を商標登録できるということだ。

たとえば、この「地域団体商標」を登録している「有田みかん」は「地名」と「果物名」の組み合わせである。

これらは一般的に広く使われる言葉であり、商標登録されると何かと不都合が出てくることは想像できるだろう。

しかし、「全国に認知」されている「有田みかん」のような特産品は、「地域団体商標」であれば商標登録が可能になるということだ。

出願人は法人でなくてはならないが、「有田みかん」には協同組合があり、「ありだ農業協同組合」を権利者として既に登録を終えている。

協同組合ではなくても、商工会、商工会議所、ＮＰＯ法人などでも出願できる。

「地域団体商標」に登録する以前は、和歌山県産みかんはすべて「有田みかん」として出荷されていた時期もあったり、農協に属さない個人農家も「有田みかん」という名称を使用してきたりと、少々商標管理がずさんな部分もあった。

しかし、商標登録後はブランド保護を意識した取り組みが行われており、他の地域への良いお手本となっている。

もちろん、そこに至るまでの生産者の方々のご苦労は想像を遥かに超えたものに違いない。

だからこそ、その**ご努力ご苦労を、それに相応しい対価としての利益にコンバージョンするために商標というものが存在する**のだ。

ところが、先の「地域団体商標」制度では、相当の管理団体が存在しなければ、そもそも商標登録出願をすることはできない。これは、この制度の大きな欠点である。

この点は、実は、「和歌山みかん」や「紀州みかん」といった日本の宝というべき商標が登録されない理由ともなっている。そのため、この場合には、**欠陥ある制度を超えて保護することを考えるのが必要**になる。

「うなぎパイ」のひとり勝ちを守る商標登録

浜松をはじめ、静岡方面に出張した帰りに持って帰るお土産といえば「うなぎパイ」であると言っても過言ではないだろう。

そして、この**「うなぎパイ」こそ、日本のお土産界を代表する金持ちプッチーニ**に違いない。

浜松といえば浜名湖、浜名湖といえばウナギ。だからといって、ウナギをお土産にするには高価過ぎる。

自宅へのお土産ならばともかく、会社の出張のお土産として職場の同僚達に配るなら「うなぎパイ」が最適だろう。いや、むしろ浜松に行ったのだから、「うなぎパイ」

を期待していたと待たれる待望のお土産ではないだろうか。

ウナギのエキスをパイ生地に練り込み、かまぼこのような形に仕上げ、最後にタレを塗り込んだこの焼き菓子は、フランスの代表的洋菓子パルミエを参考にしてつくられたという。

有限会社春華堂が販売するこの「うなぎパイ」は、今では浜松の名産として、インターネットで実施された「好きな全国の名物土産ランキング」であの「白い恋人」に次いで2位に輝いている。

「夜のお菓子」という絶妙なキャッチフレーズは、当時の社長が出張や旅行のお土産として家庭に買って帰ったその夜に、一家団らんのひとときをこのお菓子とともに過ごしてほしいという願いを込めて考えたというが、結果的には違う意味で解釈されたことで浸透し、人気の高いお土産として認知されている要因のひとつだろう。

「うなぎパイ」といえば「夜のお菓子」。「夜のお菓子」といえば「うなぎパイ」。水商売の店に「浜松に出張に行ってさあ」とか「ゴルフで浜松に行ったんだけど」という枕言葉とともに差し出せば、ほかのどんな高価な手土産よりも喜ばれることは疑いない。

当然のことながら、類似の商品も多数販売されているが、「うなぎパイ」の圧勝は揺るがない。「うなぎパイ」という商標を独占しているかぎり、その牙城が崩れることはないだろう。

もしかしたら、この「うなぎパイ」の10倍美味しい同様の焼き菓子をお土産に持ち帰ったとしても「なんだ『うなぎパイ』じゃないんだ」と一蹴されてしまうかもしれない。

「うなぎパイ」の勝利は、食べる前に決まっているのだ。いや、売る前に決まっているとも言えるだろう。

浜名湖、うなぎ、うなぎにまつわる様々な物語。それらすべてを焼き洋菓子という意外なテーマで包み込んだ「うなぎパイ」。そのネーミングから「夜のお菓子」というキャッチフレーズまで、その**完璧なまでのプロモーションストーリーを守っているのは、ほかならぬ「うなぎパイ」の商標登録**であることを改めて確認しておきたい。

巨万の富を失った餡入り生八つ橋

京都に旅行に出かけたほぼすべての人が、お土産を買って帰るという。

京都は、日本人にとっては特別な場所だ。その特別な場所に出かけたということを誰かに伝えたい。そのために人は京都でお土産を買う。

ところが、**京都といえば「○○」という代表的なお土産が、残念ながら存在しない**と言わざるを得ない。

「なにをおっしゃいますことやら。京都といえば八つ橋やおまへんか」と舞妓さんに言われても、やはりピンとこないのは私だけだろうか。

なるほど京都には古くから愛される八つ橋という堅焼きの煎餅菓子がある。硬く焼き上げられた八つ橋は、カテゴリーとしては煎餅だ。砂糖の甘さのあとに、ほのかなニッキの香りが続く。

しかし、今の人たちが思い浮かべる八つ橋は、「おたべ」や「聖」という名で販売されているアンコを包んだ生八つ橋に違いない。

1966年粒餡入り生八つ橋の販売が開始されたのは、八つ橋の本家京都ではなく、京都の隣の大津市のヘルスセンターびわ湖温泉「紅葉パラダイス」だったという。

簡単に言えば、粒餡入り生八つ橋は、八つ橋界の異端児だったのだ。

京都には、様々な八つ橋の老舗がある。それぞれが「○○八つ橋」という名で販売しているが、その中で決定的なブランドは存在しないと言えるだろう。

ところが、餡入り生八つ橋となると「おたべ」に圧倒的な軍配があがる。

「おたべ」を製造販売する「株式会社おたべ」(現・美十)は八つ橋メーカーの中では後発中の後発。だからこそ、「おたべ」を考案し、今までになかった餡入り生八つ橋という京都名物の第一人者としての地位を確立している。

もし、この会社が製造方法等に特許を申請していたならば、もしくは「京餡生八つ橋」というような商標登録をしていたならば、その利益は今の10倍ではきかないだろう。

金持ちプッチーニになれたはずなのに、貧乏モーツァルトに甘んじているとあえて言わせていただく「おたべ」。

確かに「おたべ」は成功を収めた。しかし、その成功も、**知的財産権をより有効**

に活用していればもっと大きな成功に導かれていたかもしれないことだけは言っておきたい。

イチゴを守ることは、日本を守ること

「ソルヒャン（雪香）」という韓国のイチゴをご存じだろうか。

韓国のイチゴ市場のなんと9割を占めるというこのイチゴは、実は、日本のイチゴ種「章姫」と「レッドパール」を掛け合わせて生まれた品種なのだ。

問題は、それが合法な国と国との約束ごとで成り立っていたのか、それとも日本から盗んだ苗を掛け合わせた不当な品種流出かどうかということだ。どうやら、後者のようで、この結果、**5年間で220億円の損失という試算を農林水産省は発表している。**

まずは、ことの経緯を確かめることから始めよう。

「章姫」は、静岡県の萩原章弘氏が「久能早生」と「女峰」を掛け合わせて育成した、収穫量が多く、甘みが強く、摘花により大玉率が上がると言われる人気のイチゴ品種だ。

一方、「レッドパール」は、愛媛県の西田朝美氏が「アイベリー」と「とよのか」を掛け合わせて育成した、甘みと酸味の濃い味が特徴で病気にも強く、収穫量が多い、育てやすい品種だという。

1990年頃、韓国人の農業研究者に「レッドパール」の苗を5年間、有料で栽培できる条件で契約した西田氏。

ところがその農業研究者は西田氏の承諾も得ず、勝手に他の韓国人に苗を譲ってしまったために、「レッドパール」は一時期韓国イチゴ市場で8割を占めるほどまでになっていたという。

「日本人のように良心的にやってくれると信じてしまった」という西田氏だが、

その後彼のもとに使用料が入ることはなかったという。

さらに、この「レッドパール」と「章姫」を掛け合わせて生まれたと言われる「ソルヒャン（雪香）」は、収穫量が多く、病害虫にも強く、栽培技術も安定化されていることから、**今では韓国で圧倒的なシェアを誇るが、もちろん1円も日本にはロイヤリティが支払われることはない。**

日本では、農作物の権利を守るべく、「品種登録制度」が法律で整備されていて、通常25年間は使用料を取ることができるが、韓国国内で不法に栽培されてしまったイチゴ品種はまさに無断栽培し放題という無法地帯なのだ。

農林水産省は、日本の法令の効力が及ばない海外でも、日本の開発者の品種登録や権利を守るべく支援に乗り出しているというが、現実はどうなのだろうか。

海外での品種登録は通常百万円から2百万円かかる。しかも国ごとの出願が必要で、出願可能な期間にも制約がある。

農林水産省は国の予算に出願経費の補助事業を盛り込んでいるほか、国別の手引き書を作り、対応を呼びかけているというが、実情はどうなのだろうか。


これはもちろんイチゴだけの問題ではない。

もし、日本の国土の何分の1か、たとえば九州の何分の1かを韓国に占領されたとしたら、大変な騒ぎになるだろう。

いや、騒ぎどころではなく、戦争が起きると言っても過言ではない。

ところが現実には、**知財の海外流出による、何百億円もの利益の海外流出が起きているこ**とは意外なくらい認識されていないのである。

小がまとまることで権利を利権に変えられる

もともと「うなぎパイ」の会社はひとつではなかった。

約50ほどの小さな会社がそれぞれの「うなぎパイ」を作っていたと言われている。

そんな状況下では、「うなぎパイ」という商標は育たない。小規模の者の個々のパワーなど、知れているのだ。


先に述べたメーカー「春華堂」が商標権に基づいて権利行使をねばり強く行っていった結果、ひとつになった。そして、巨大になって資本力を得た。

その資本力等をもって、「うなぎパイ」という商標を浸透させることができたのだ。

商標権に基づいてパワーを結集させることで、ひとつの大きな力を獲得し、それを利権として享受できる。

これは、「有田みかん」でも実証されていることだ。

「有田みかん」の協同組合がそこに属するすべての農家に、「有田みかん」の商標を提供している。

だが、「和歌山みかん」という商標は存在しない。

それは和歌山という名の下に農家達のまとめ役が存在し得なかったからだ。

小がまとまるためには、そのまとめ役が欠かせない。

反対に、まとめ役がいさえすれば小は小で終わることなく、より大きな権利を自らのものにでき、その権利を集め、まとまった小で分配できるのだ。

我が国日本に足りないのは、商標となるべきテーマではなく、このまとめ役かもしれない。

そのまとめ役は、なにも小の中に存在しなければならないわけではない。

第三者がまとめ役として機能することで、小は大なる権利を得ることができることも、ぜひ知っておいていただきたいことのひとつだ。

まとめ

- 金持ち 公認ゆるキャラの頂点を極めたのが「くまモン」
- 貧乏 活動費がままならず活動を終えた「非公認ゆるキャラ」達
- 金持ち 地方特産物を保護する「地域団体商標」を活用した「有田みかん」
- 金持ち 「うなぎパイ」の静岡土産ひとり勝ちは商標により守られている
- 惜しい 金持ち 餡入り生八つ橋を考案したおたべ社が、特許申請や商標登録をしてうまく権利行使をしていたらより大きな成功に導かれていたかもしれない
- 貧乏 韓国のイチゴの90％を占めるソルヒャン（雪香）による日本の損失は5年間で220億円とも言われている
- 金持ち 「うなぎパイ」「有田みかん」の勝因は、商標のもとに小が結集することで、ひとつの大きな権利を獲得し、それを利権として享受できたこと
- 日本に足りないのは商標となるテーマよりも、小がまとまるためのまとめ役

第5章

知的財産の価値が見えない日本企業

東大生による、東大合格のための塾の価値

進学塾や予備校、色々な呼び方があるが、これらの類のものは世の中にごまんとあり、どこもこぞって、この難関校に何名合格した、などと生徒の合格実績を掲げ新規の生徒を募っている。

こういった予備校の使命は、生徒を志望校に合格させるところまでであるから、いい高校に合格することができたら、次はいい大学、と次の目標に導いてくれるが、仮にそれで東大に入学することができたとしても、その先はお役御免となってしまう。

「鉄緑会」という組織をご存じであろうか。

東大医学部、法学部の学生・卒業生の出身者が講師を務める、東京大学受験指導専門塾である。

東大生の、東大生による、東大合格のための塾であり、所属者の仕事というのは、

塾生の東大入試合格のための講師である。

人間それぞれ感じ方は違うが、東大を出た者が東大受験のプロになったというところで終わってしまうのは、なんとももったいない話であると感じないだろうか。いわば、せっかくプッチーニになれる道を歩んでいたのに、自ら貧乏なモーツァルトになる道を選んでいるのではないだろうか。

誰も教えてくれない東大ブランドの活かし方

多くの東大生は官公庁や大手企業に就職したり、士業に携わったりすることが多いのではないだろうか。そういった組織の中では、東大卒は目立つ存在ではなく、ほとんどマジョリティとなり、残念ながら貧乏モーツァルトと言わざるを得ない状況になることもある。

本当に優秀な人物はそこでも頭角を現すのであろうが、役職の枠の数には限りがあるので、重要な役職に就ける人間はそのうちのごくわずかだ。

そんな大多数の東大卒の人間の中で比べられたり、プライドを傷つけられたりして、疲弊していってしまう人も少なくないと予想される。

それでは、学歴をプッチーニのように有効に活かしたければどうすればよいのか？

ところで、ペットボトルの水はコンビニエンスストアやスーパーマーケットでは百円以下で購入することができるが、これをもっと高く売る方法を考えてみたことがあるだろうか？

それは、その水が簡単に手に入らないような、富士山頂やサハラ砂漠で販売することだ。

これと同じように、「東大」というブランドを活かしたかったら、**東大生が圧倒的に少ない場所、例えば、中小企業などに就職した方が大切にされる**のは間違いない。

大げさかもしれないが、東大卒というのは水戸黄門の印籠のようなものだ。履歴書に東大卒だと記載があれば、国内外問わず、企業の採用担当やヘッドハンターなどは一瞬「おっ」となるものだ。

ある意味、自分のやりたいと思っていること、成し遂げたいと思っていることをスムーズに運んでいくことができる、威力のあるツールであるので、どんどん利用して、自分が進みたい分野に進んでいくべきである。

予備校だけではなく日本の教育機関のほとんどに言えることかもしれないが、学歴をどう利用すればいいのかは、誰も教えてはくれない。

本人が何をしたいか、どうなりたいかにもよるので、「「成功」というのはこういうものである」という定義づけは難しいが、はっきり言って、**大切なのは教育を終えた後、学んだことをどう活かしてマネタイズしていくか、いかに自分の人生を**

自分の行きたい方向に持っていくかということである。

そういった教育がなされていないから、大学院まで出た学生の就職先が見つからないというような事態になるのである。

銀座で学ぶマネタイズの鍵

日本にはカリスマ性のある経営者が何人もいるが、そういった人たちの価値というのもその企業のＢＳには決して表れてこない。

しかし、その経営手腕を活かし、事業を成功させたり、人気を活かして楽にファイナンスができたりと、マネタイズの方法はいくらでもあると言える。

人間の価値というのももっとうまく活用し、マネタイズしていくべきであろうと私は考える。

これから申し上げることは、賛否両論あるかもしれないが、マネタイズを身近な話題と興味をそそる例えでお話しさせていただくための手段だと思って読んでいただきたい。

例えば、モデルという職業は、その魅力をうまくマネタイズしている職業の典型だろうし、「銀座のホステス」の方も、同じようなことが言えるのではないだろうか。

「銀座のホステス」と聞くと、ちょっと特別な感じがしないだろうか。

彼女達は出勤時から颯爽と歩いていて、普通の女性たちとは明らかに違う。自分の見せ方というか魅せ方をわかっていて、自分の素養が一番輝くところ、一番目的を達するところに身を置いているのである。

「銀座」というブランドもあるかもしれないが、同じ人がOLをしていても何とも思わないが、「銀座」の○○という店のホステスさんと言われると、こちらは勝手にいろいろな隠された価値を想像してしまい、すごくコミュニケーション能力が高くて、スペックも高いような感じがしてしまう。だが、実は、これもひとつの戦略であり、典型的なマネタイズ方法とも言えるのである。**同じ「美人」でも、どこに身を置くかで明らかに稼ぎが違う**のである。

ところが実は話はそう簡単ではない。ある意味では意識の高い賢い女性たちの集まりなので、競争も激しい。そこで輝き続けたいと思うのであれば、その中で唯一無二の存在になっていかなければならないのだ。

美人ホステスならば、誰でもナンバーワンを目指すものなのかもしれないが、ナンバーワンの座はひとつしかない。一旦頂点を極めてしまったら、それを守るのは大変なことだ。

しかし残念ながら、どんなにがんばっても、いつまでもナンバーワンでいられるわけではない。プライドだけが残って、ナンバーワンから陥落するなんていうことは、美人ホステスからしたら耐えられないことだ。

しかしながら、美人ホステスたちの熾烈な争いを尻目に、ホステスながら、若さや見た目に頼るより接客を武器にする女たちがいる。彼女たちは、ナンバーワンホステスとは違ったキャラクターが求められていることを理解している。

決して主役になれるわけではないが、その業界で長く生き抜くためには、そのポジションが最適であることを、本能的に見抜いているのであろう。

美人ホステスは、その地位を維持することの難しさから、「美しさの切り売り」をしているとも言えるが、個人的には、「短期間で大金を稼ぎたい」という目的がある場合は、このモーツァルトのような稼ぎ方が正解であると思う。

一方、**この仕事で長く稼いでいきたいと考える場合は、知性や気遣いなど別の魅力に価値を見出したプッチーニ的稼ぎ方のホステスのほうに軍配が上がる。**

こんなことを申し上げたら怒られるかもしれないが、銀座のママでも美人ママというのは成功しないと言われている。むしろ、プッチーニ的な稼ぎ方をしてきた、美人でないママのほうが成功するのだ。

環境で活かし方も変わる自分の強み

『毎日かあさん』（毎日新聞出版）などの代表作がある漫画家の西原理恵子氏は、〝絶対自分はイラストレーターで生きていく〟と決意して高知から上京してきた。絵で食べていくことができれば、何でも良いという覚悟があったようだ。

西原氏は、武蔵野美術大学を卒業しているが、美大での授業よりも、勉強になったのは、美大に入るための予備校時代であった。

一斉に2百人、3百人の絵を並べられ、その中で自分の絵は「最下位」だということをまざまざと見せつけられた。しかし、そうやって順位をつけてもらったおかげで、自分の絵を冷静に見られるようになったという。

イラストが最初に雑誌に載ったのは、エロ漫画誌であった。

そして、エロ本のカット描きを続けていたら、小学館の編集者からお声がかかった。念願のメジャー漫画家デビューである。

漫画家志望は世の中に多数いると思うが、男性でも躊躇してしまうであろう内容のエロ漫画というジャンルに対して、「漫画で仕事ができるなら、どんなチャンスも活かさなくては」と、受け入れた西原氏には頭が下がる。女性でそちらの方面を目指す人間は少なかっただろうから、この戦略は非常にお見事であったと思う。

数字には表れない資産

だいぶ、生活に密着した事例を見てきたので、ここからは、少し専門的な話に入りたいと思う。

日本は技術大国であり、その質の高さは世界に誇るべきものだと言える。
しかし、**企業の財務諸表を見てみても、知的財産のほとんどが貸借対照表（BS）上に計上されていない。**

というのも、日本の会計基準では、自己創設（自社出願）で権利化された特許権については、資産計上することができず、外部から特許を購入した場合や、M&Aなどで得た特許の取得対価だけがBS上に表れるようになっているからである。

企業というものは、保有している資産を最大限に活用して、利益を稼いでいくのが当然の姿であると言えるが、帳簿に表れない資産、つまり、知的財産が存在するため、資産と売上、利益のバランスがおかしくなることが多々ある。財務諸表を見ただけでは、正しく企業価値を測ることが困難となっているのだ。

そういうわけで、知的資産をコアコンピタンスとして経営している会社というのは、「持たない経営」とも言われ、図1のようなアンバランスな財務諸表となっていることが多い。

しかし、実際には図1で示す破線の部分のように、数字には表れない資産（知的財産や企業文化、経営者のリーダーシップ等）がたくさんあるのが実情である。

プッチーニやピカソも、稼ぐために何にお金をかけたかというと、楽器や画材であると言える。しかし、**マネタイズする上で最も貢献しているものは何かと言えば、目には見えない「才能」という資産**なのである。

ＩＦＲＳなどの会計基準では、知的財産権を評価し、資産計上している。日本にはこういった制度がないから、海外に技術が流出してしまっても、どれぐらいの損失があるのか把握できないのだ。

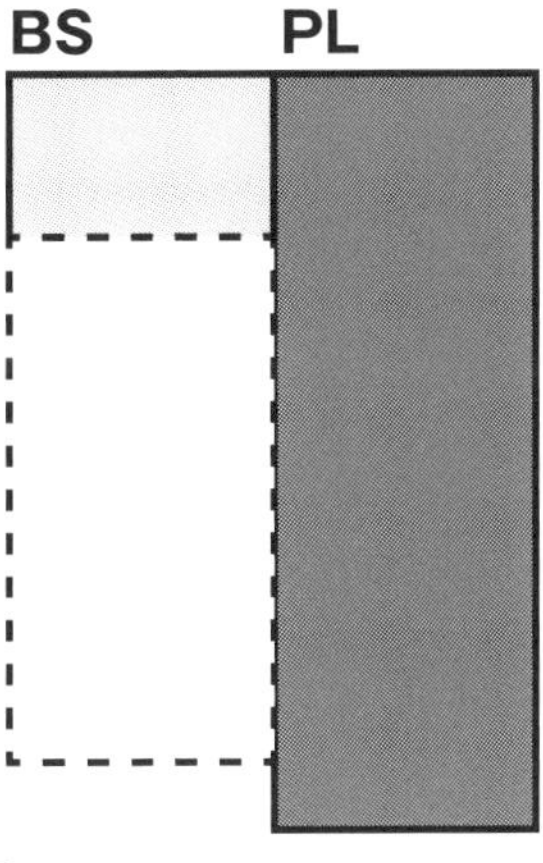

BS　PL

図1

例えば、かつて**韓国のサムスン電子は、日本の技術者を土日に韓国へ招待して技術を教えてもらっていたという話がある。**技術者は対価をもらってサムスンに技術を教えたのだろうが、それが百万円であろうが、1千万円であろうが、実は1億円分のことを教えていたのかもしれない。

技術を教えていることに関して、自分が価値あるものを与えているということに気が付いていないということである。情報が欲しいサムスン電子側は、何が欲しいかということが明確にわかっており、その価値も十分に気が付いているのにもかかわらず、だ。

日本人が見落としている、知識は搾取されないという価値観

世界の様々な分野で活躍している知的な民族といえば、いち早く頭に浮かぶのは

ユダヤ人なのではないかと思う。

彼らは長きに渡り、数えきれないほどの国に支配され、いわれもなく裁かれたり、生活を制限されたりして、虐げられてきた。しまいには土地を失い、安住の地など持てないまま、他国に分散し、その土地で言語を覚え、必死で商売をしてきた。

そんな彼らは、土地なんて持っていても意味がないことを、身を以て知ってしまった。そこで彼らは、持ち運び可能で、価値のある宝石に目をつけ、ダイヤを持つことを考えたが、それも結局は剥奪されてしまう。

最終的に彼らは、知識で勝負をするしかないと考えるようになった。

彼ら全員の頭が良くて商売がうまいわけではないが、世界中から妬まれるほど成功している民族なのは確かである。

我々日本人も、同じく知的民族であると言っても過言ではないと思うが、物質的なものにばかり気を取られていて、持てる資産を活かしきれていないように思う。

モノを持つなんて意味がないということを言いたいのではない。歴史に翻弄されて必死で生き延びてきた民族から、何か学ぶことができるのではないかということだ。

ちなみに、技術やノウハウ等の知的財産の流出、いわゆる産業スパイのようなものを取り締まるところは、アメリカだとＣＩＡやＦＢＩであるが、日本では、どこの管轄となるかご存じであろうか。

それはなんと、警察庁の生活安全局である。

生活安全局といえば、ご近所トラブルや、ストーカー・ＤＶ、悪質商法など、市民の生活の安全や平穏に関わる様々な困りごとに対応する部署である。

当然、知的財産の侵害に対する優先順位は低く、担当官の危機感もない。実は、特許権侵害事件で刑事罰の対象となったのは、今のところ０件である。当然他国から恐れられるはずもなく、技術大国の資産は海外に流出してしまうのだ。

ユダヤ人は、国土を失い、財産も奪われ、知識だけが残った。果たして、日本は何を失ったのか、当人たちも気が付いていないのである。

知的財産活用こそこれからのビジネスの勝ちパターン

成功している組織には、必ず知的財産の活用がある。モーツァルトやゴーギャンの例もあるので、権利取得を勧めるのが、我々弁理士の仕事である。

けれども、権利を取るのは、自らを守るためだけではない。権利、特に**知的財産権というのは、自らの才能やその成果物をマネタイズする道具として、攻めにも使うことができる極めて有用なもの**なのである。

こういった言い方をすると、「知的財産法をしっかりと知っていないと損をする、ということが言いたいのか」とか、「弱者である中小企業こそが、知的財産権に対して敏感になるべきであり、積極的に権利取得を図るべきだと言いたいのか」といったようなことを言われそうであるが、そうではない。

はっきりと言ってしまえば、たとえその対象が極めて有益な技術であったとしても、成果物のマネタイズをできない権利ならば、取らないほうが良い。

もっと言ってしまうと、何らかの形でマネタイズに資する道具として使えない知的財産権というのは無益であり、マネタイズに資することがない知的財産の権利化を勧める弁理士がいることなど、とても信じることができない。

要は、**自らの事業の典型的な勝ちパターンを知った上で、それを実現するために必要かつ相応しい権利であるならば、積極的に取っていくべき**だということである。そう、特許を取れるところを探して特許を取るのではなく、マネタイズに必要な「取るべき特許」を取っていくべきなのである。

イノベーションという獲物を追い続ける「サメ型企業」

今、知財をとりまくグローバル社会では、特許などの知財を権利行使する手段を持たないような、「知財交渉力」が無い企業を「標的」とした「サメ型企業」が増えている。

「サメ型企業」というのは、イノベーションに特化し、製造などには関与しない、つまり、知的財産だけ持っていて、モノを作らない会社である。

企画・開発・製造・販売などの余計な作業に労力や費用を費やさず、資産の獲得や維持に煩わされることもない。どの企業も目的としていることは、利益の最大化であり、それさえできれば、やり方にこだわる必要もないとも言える。

そこで、知的財産を持ち、それを使ってマネタイズしていくことで、手っ取り早く企業利益を最大化することができるという考えを持っているというわけだ。

「サメ型企業」は、特許をライセンス料と引き換えに使用許諾するだけなので、工場などの設備投資をする必要はなく、収入はそっくり知財の研究開発に回す。こうなると、製造・販売を行っているメーカーは研究費の分野で太刀打ちできず、「サメ型企業」に技術面で頼らざるを得なくなってしまう。

米国のコンサルタント、マーク・ブラキシルとラルフ・エッカートが、その共著『インビジブル・エッジ』(文藝春秋)の中で、知財に基づく企業間の力関係を「サメ」「金魚鉢」「標的」「ガラスの家」と名付けた。「サメ」は知財に全力投球する戦略を選択し、イノベーションという獲物だけを狙って泳ぎ続ける。

「金魚鉢」は規模の小さい新規参入企業で、まだ重要なイノベーションを生み出すに至らず「金魚鉢」の中にいる。その段階から自らのイノベーションなしに事業を拡大するとサメの「標的」になりやすい。

また、**モノづくりを行い、製造するのに競争相手の知財を必要とする企業は「ガ**

ラスの家」と呼ばれる。現代の大企業の多くは、クロスライセンス契約を結ぶ必要があり、「そちらの技術を使わせてくれるなら、当社のもどうぞ」「そちらが攻撃してこないなら、当社もしません」というように、中から外に向けて石を投げることができない状態にあることをガラス張りの家になぞらえた。

「サメ型企業」の攻撃に無防備な日本企業が多い

「サメ型企業」が狙う中、残念ながら、経営者の知的財産に関する知識は低いと言わざるを得ない。

現に、東証マザーズ市場に上場している企業のその半数は全く特許出願を行っていない。イノベーションを武器としている企業が多い新興企業において、この有り様では、持続的競争優位の構築はおろか、企業の存続すら危ぶまれる。

特許というものは、自分が取ることができるように、他人も取ることができる。そして、他人が特許を取っているものと同じシステムを一般に提供すると、立派な特許権侵害になってしまう。

ある程度事業が拡大してきたところで目をつけられ、特許権者の目に留まり、「警告状」が送られてくるというのはよくある話で、送り付けられた方は、まさに「寝耳に水」、「青天の霹靂」で、それは突然やってくるのである。

「サメ型企業」で有名なのは、クアルコムである。

クアルコムは、ものすごい勢いで赤字を出していた、携帯端末製造とインフラへの投資をやめ、一番価値のある資産である知的財産に全精力を集中する戦略を選択した。同社が保有するライセンスからの収入などで全売上高の90％を占めるようになり、利益は爆発的に増えていった。

コア事業をイノベーションの創出、管理、ライセンス供与とするクアルコムは、他社からすれば、決して見逃すことができない存在となってしまった。

「サメ」は、泳ぎ続けないと、エラに酸素を取り込むことができず、呼吸困難で死んでしまう。

それと同じように「サメ型企業」は潤沢な研究開発費をもとに、イノベーションという獲物だけを狙って泳ぎ続ける。

「標的」となるメーカーは、製造に力を取られているので、イノベーションの創出という意味では、クアルコムに太刀打ちできず、自社製品を開発しようとすれば、必ずクアルコムの発明を経由せねばならない。

クアルコムの技術は使いたいが、クアルコムの支配からは抜け出したい、そんなジレンマに陥る企業が多数あるが、圧倒的な技術力から、結局はクアルコムに頼らざるを得ない。

しかし、クアルコム側は、特にメーカーの技術がなくても問題ないため、どうやっても立場が強くなる。**特許を取得しても、請われれば、どのメーカーでも使用承諾を与えるが、メーカー側はクアルコムから提示された値段を呑むしかない。**

断ったら取引の余地がなくなり、新しい製品を開発できなくなってしまうからである。

こうした「サメ型企業」に「標的」にされてしまう典型的な「企業」は、短期間でシェア拡大に成功した、まさにマザーズ上場企業のような新興勢力であり、中には「金魚鉢」の会社が対象となる場合もある。

先ほども申し上げたように、こういった企業は、知財に関する知識も意識も欠如している場合が多い。

知財の独占権を担保できるような組織、期間、手段を有していない企業が多く、クアルコムのような、「サメ型企業」に狙い撃ちされやすい。

そういった会社には、「用心棒」となる知財戦略の専門家のアドバイスが必要となるのである。

財務諸表に表れない知財の価値

日本では今まで、優れた技術を開発し保有していながら、数々の技術系ベンチャーが事業化に失敗してきた。

その原因のひとつとして、「サメ型企業」のようなところに狙われてしまうことも挙げられるが、もうひとつ重要な要因は、自社のアイデアや技術に自信を持つ多くのベンチャー経営者が価値と希少性（VRIO分析でいうVとR）のみで成功するであろうと思い込んでいることが挙げられよう。

ちなみに、企業の経営資源を分析するために使われるVRIO分析のフレームワークは、Value（価値）、Rarity（希少性）、Imitability（模倣困難性）、Organization（組織性）に区分され、競争優位性の把握ができる。

実際、そうした経営者の思い込みが明確にうかがえるのが、ベンチャー経営者と金融機関との取引現場である。

ベンチャー経営者は「V」と「R」があることを理由に、それを評価した上での融資を申し込む。

極端な場合、特許権やブランドなどの無形資産を企業価値として、金融機関に評価してもらい、融資返済の担保とする「知財担保融資」を目論む。

しかし、先ほどの「数字には表れない資産」の項目でも書いたように、**知的財産はほとんどの場合、目に見える形でBSには載ってこない。**

財務諸表で見ることができないものを金融機関は評価しないし（評価できないし）、継続的な成功が見られないところや、成功していても継続性がなさそうな会社に対して、金融機関は融資をしないものである。

残念だが、それを理解せず、金融機関との交渉が決裂してしまうことが多々ある。

これからの企業経営に欠かせない「知的財産経営」でのマネタイズ

このように、簿外の知的財産については銀行からの融資の際の資産として認められないが、その、銀行には見えていない知的財産を権利化し権利を正しく実行すること、つまり「**知的財産経営**」を行っていくことで、マネタイズが可能となり、結果的に資産を増やすことが可能となる。

「知的財産経営」は、財務諸表の正しい分析で可能となる。貸借対照表（ＢＳ）、損益計算書（ＰＬ＝売上高）を基礎資料に、株価純資産倍率（ＰＢＲ）や総資産営業利益率（ＲＯＡ）などをしっかり見ていくことが肝心であると言えよう。

貸借対照表（ＢＳ）の大きさと損益計算書（ＰＬ）の大きさの関係でいくと、一般的な製造業の場合、ＰＬはＢＳの１・２〜１・５倍の規模となっていることが多い〔図2-a〕。

これに対して、不動産賃貸業のような業種では、ＢＳのほうが著しく大きく、ＰＬはＢＳの10分の１程度に過ぎないようなケースもある〔図2-b〕。つまり、全財産に対して売上が少ないのである。

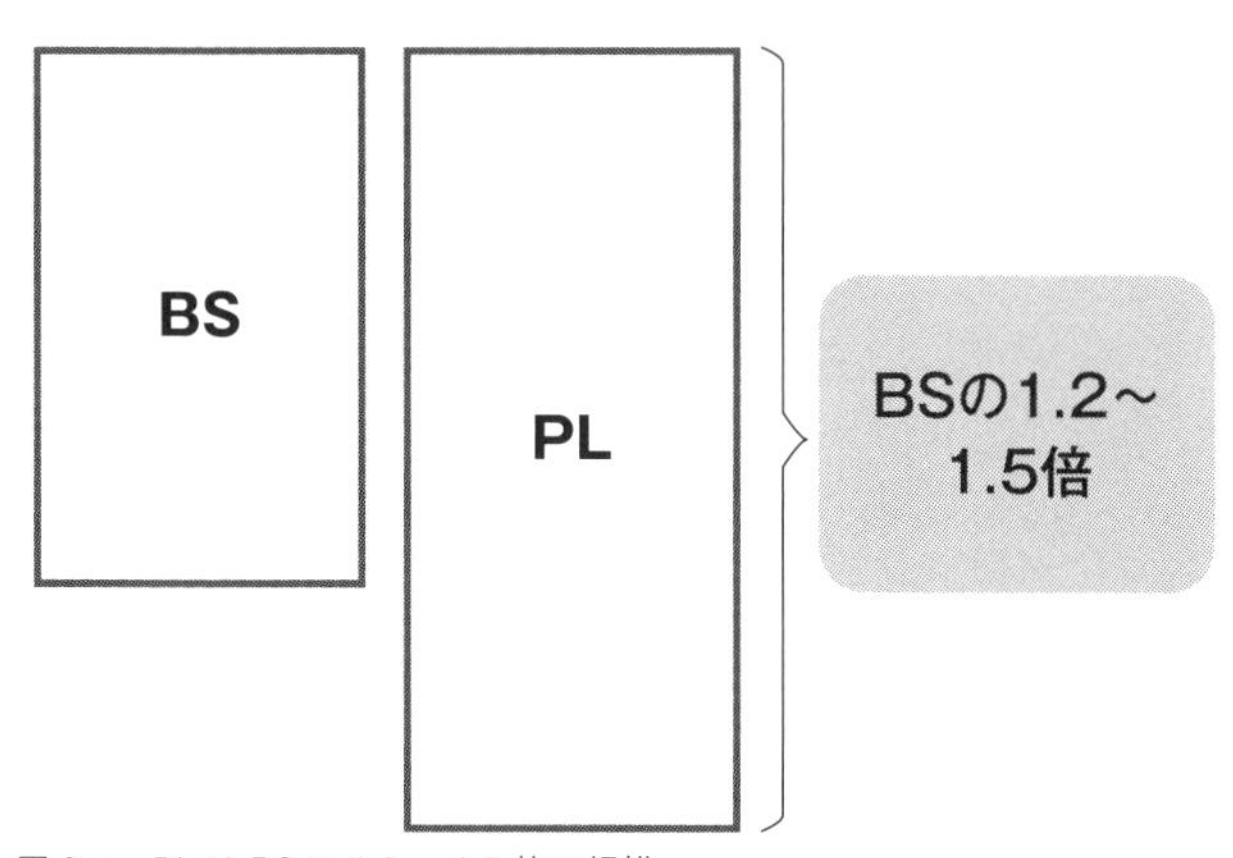

図 2-a　PL は BS の 1.2 ～ 1.5 倍の規模

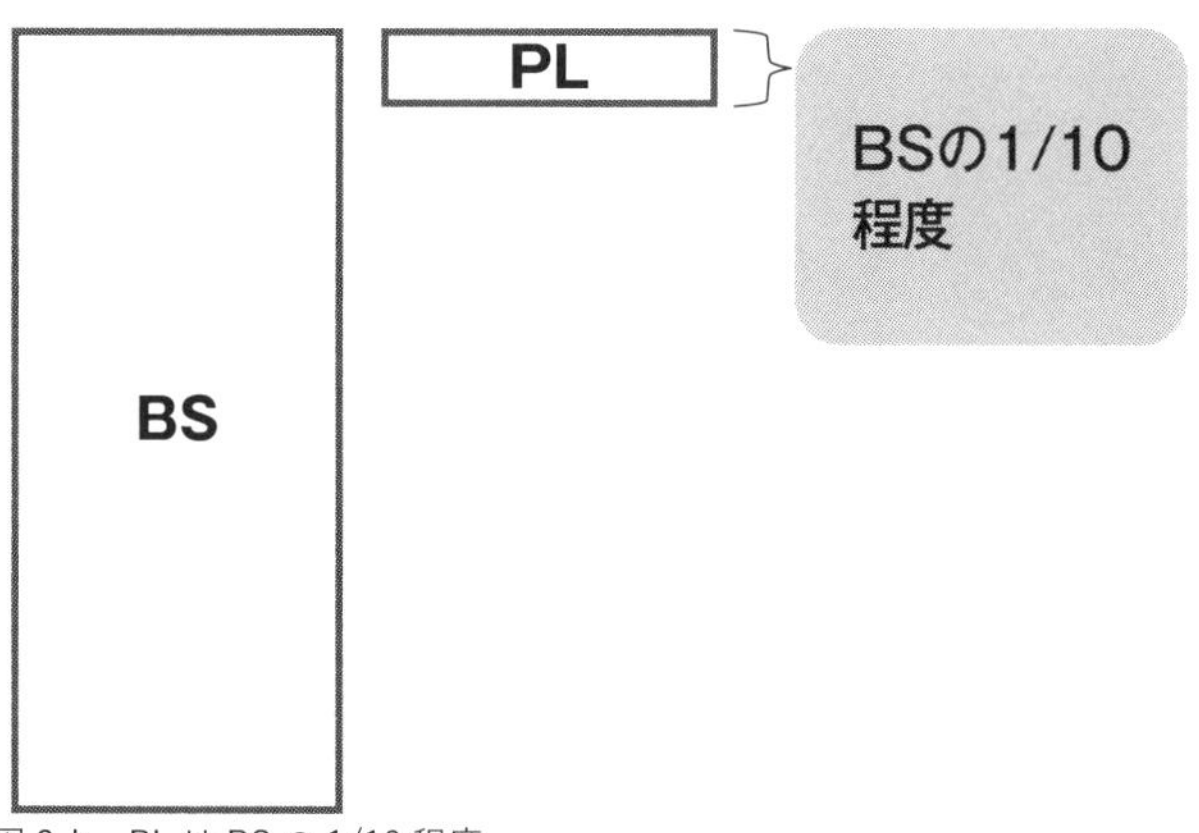

図 2-b　PL は BS の 1/10 程度

「持たない経営」が隠し持つ知財価値

一方、商社や問屋業、紹介業のような、いわゆる「持たない経営」を行っているような業種は、BSに対してPLの方が著しく大きく、少ない財産でやりくりして、大きな売上を上げていることになる。では、マイクロソフトやグーグル、アマゾンといった企業においては、BSとPLの大きさの関係はどのようになっているのだろうか。

そう、基本的に彼らは工場その他の設備のような大きな固定資産は所有していない「持たない経営」であるため、BSに対してPLのほうが著しく大きくなっていることが予想される〔図2－c〕。

ところが、彼らのような会社は、既に儲けていて、「現預金」という資産が莫大なものになっているため、BSは非常に大きくなっており、BSとPLの大きさの関係は一般のメーカーのものと変わらなくなっている。

しかし、このBSから現預金の部分を抜いてしまうと、「持たない経営」を行っている商社や問屋業、紹介業のような業種と同じように、PLの大きさに対して、小さなBSしか持っていない実情が表れる。

言い換えれば、少ない財産で大きな売り上げを上げていることになるのである。ただ、小さなBSしか持っていないと言っても、彼らは本当にこのBSに表れているもの以外に何も持っていないのであろうか。

いや、そうではない。**彼らはこの小さなBSには表れていない資産を持っている**のだ。もうお分かりであると思うが、それが**「知的財産」**ないしは**「知的資産」**というものである（P171の図1の破線の部分）。そし

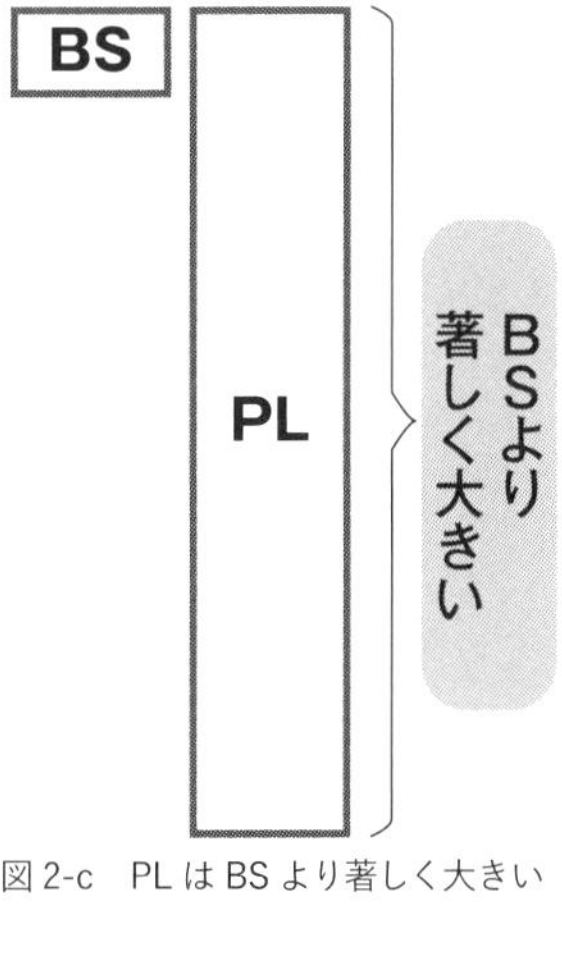

図2-c　PLはBSより著しく大きい

て、彼らが現在、資産として多くの現預金を持っているのは、この知的財産の部分が現金化されたにすぎないのである。

BSに表れない知財の隠れた含み益

図3を見ていただきたい。これは、2011年4月期から2016年3月期の平均的な企業(銀行、証券、保険を除く東証一部平均)のBS・PLの平均構成比である。

ここから計算すると、利益を総資産(総資本)で除して計算した、総合的な収益性の財務指標である総資産営業利益率(ROA)は平均6%となる。企業は、総資産から6%のリターンを得ていることになり、これを逆算すれば平均的な企業の資産総額は営業利益の16・7倍であるということになる。

ＲＯＡから計算される資産価値は、企業価値の時価評価と同じこととなり、ＢＳに計上される総資産額との乖離は企業価値の含み損益ということになる。

東京証券取引所が発表している、一部上場企業の株価純資産倍率（ＰＢＲ）の平均は１・６倍であった。ＰＢＲとは、株価を一株当たり純資産で除して算出できる指標であり、一株当たり純資産の何倍の値段が付けられているかという、市場が評価する企業価値である。

平均株価純資産倍率１・６倍から考え

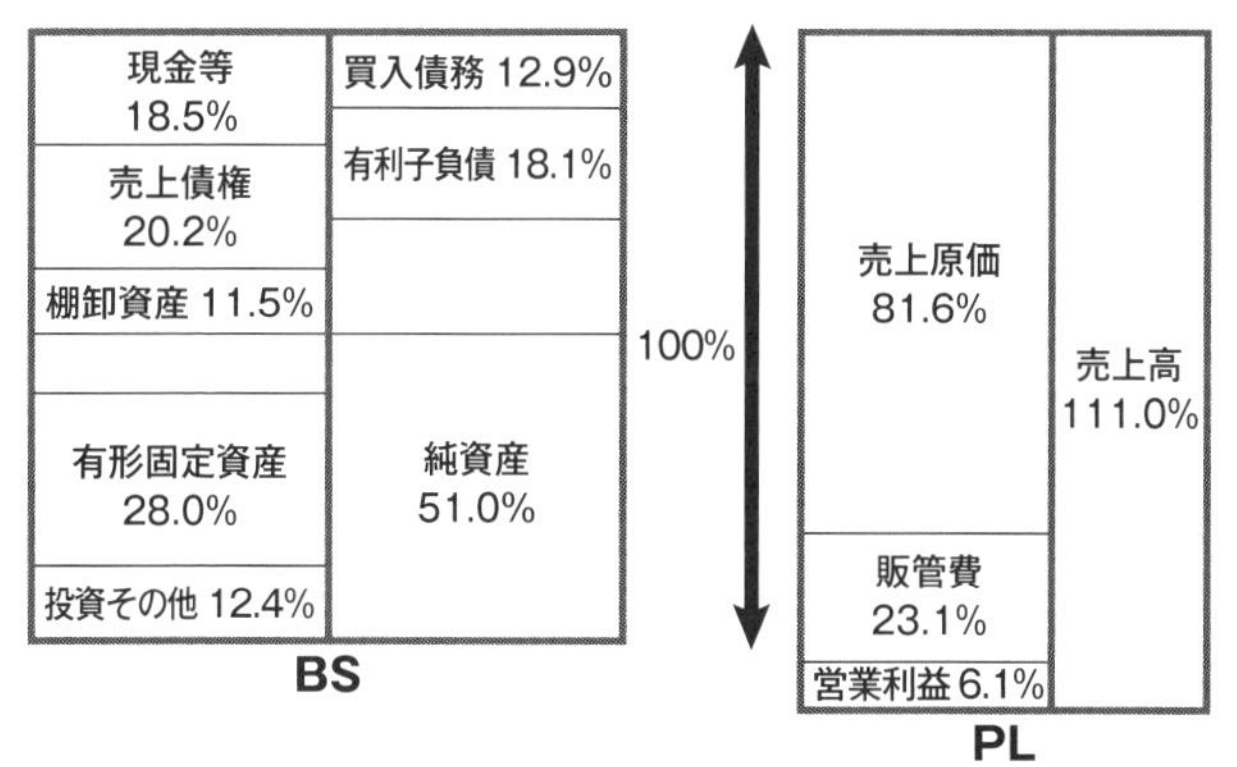

図３　東証一部上場企業の BS・PL 平均構成比

ると、ＢＳに表れない企業価値は30％程度であると計算される（図４）。含み益の源泉は将来利益と知財含み益で、その他の資産は基本的に時価評価されている。平均的な将来利益の総額は総資産の20％であり、残り10％は知財の含み益ということである。

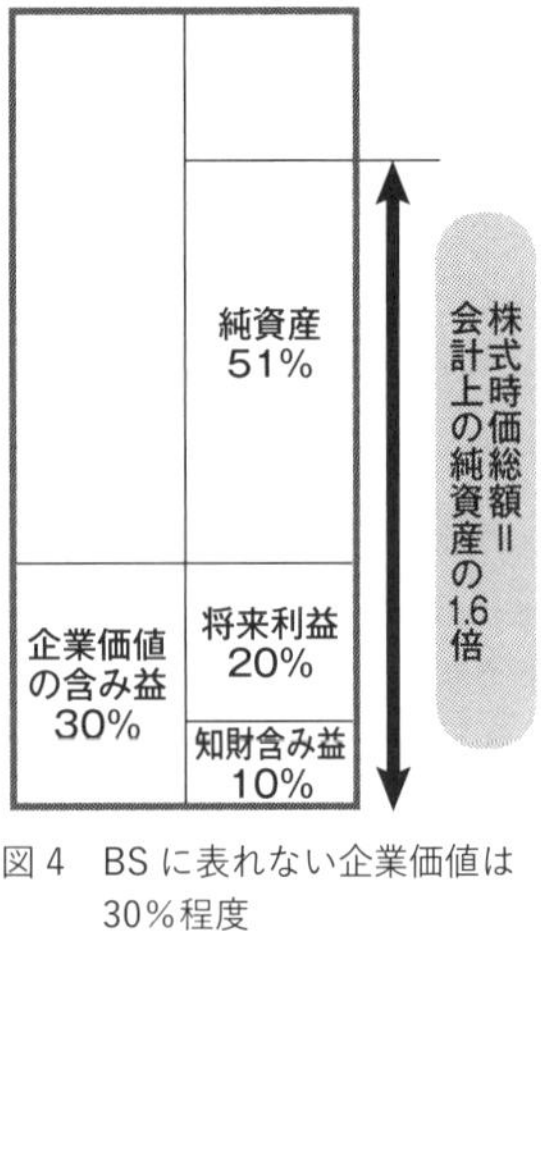

純資産
51%

将来利益
20%

知財含み益
10%

企業価値の含み益
30%

株式時価総額＝会計上の純資産の1.6倍

図４　BSに表れない企業価値は30％程度

重ＢＳ企業の含み損―住友不動産の例―

日本の会計基準においては、土地などの資産を取得した場合、取得時の価格でBSに計上され、含み益や含み損があっても資産には表れてこない。

仮に含み益を抱えていた場合、財務諸表では株主資本が過小に表れ、逆に含み損なら過大になる。

図5は、ＢＳが大きくなってしまっている住友不動産の財務諸表である。会計上の総資産は約５兆円程となっているが、営業利益から計算してみると、実際の総資産は３兆円程度となり、含み損となる約２兆円はＢＳには反映されていない。

含み損の状態なら、株主資本が過大評価されることになり、ＰＢＲが一見割安に見えることがある。住友不動産のＰＢＲは１・７倍程度であり、市場は含み損を示唆している。

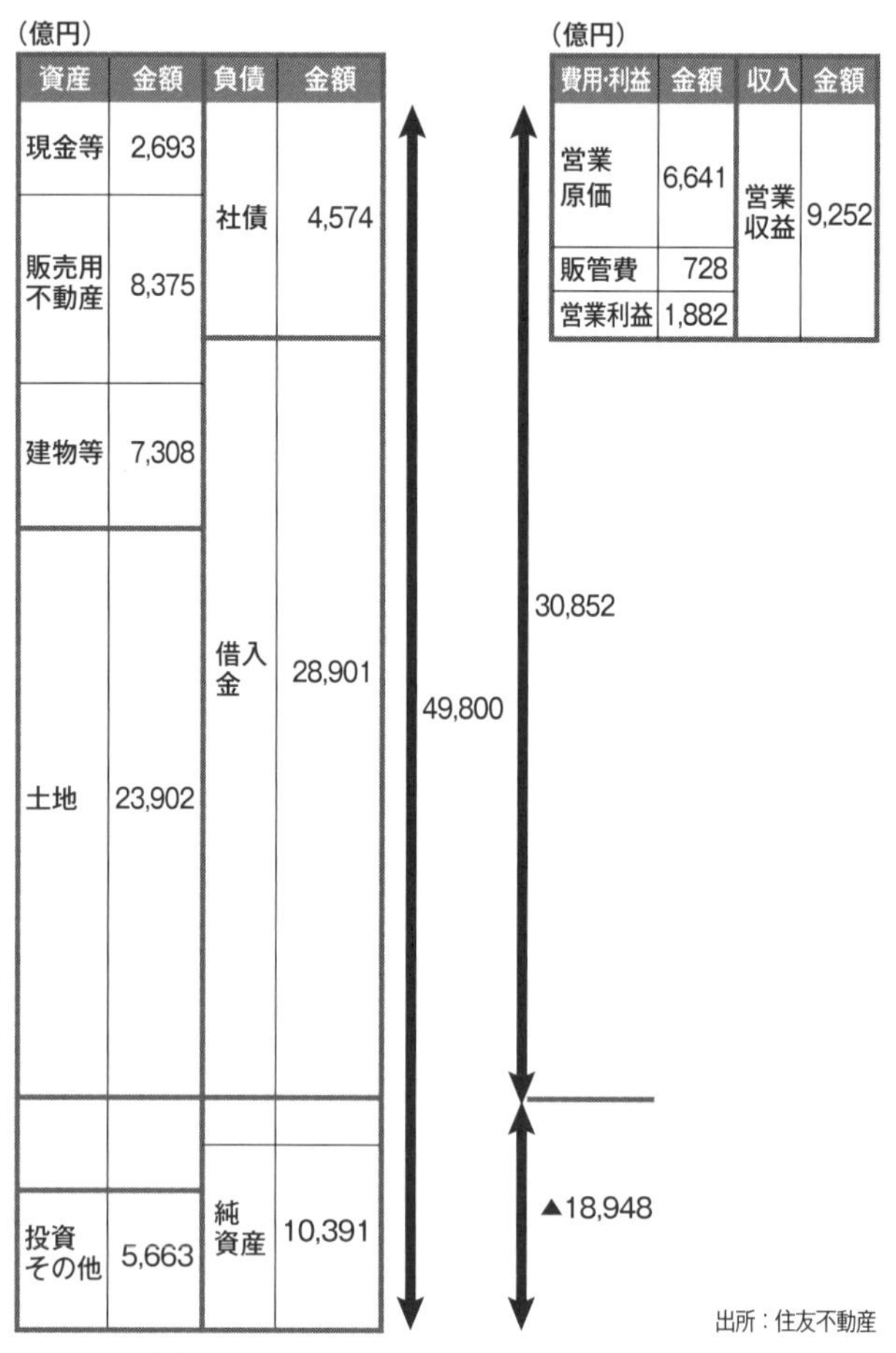

図５　重 BS 企業の財務諸表　住友不動産の場合

軽BS企業の含み益―Apple の例―

Apple は収益性が高く、営業利益の6百億ドルから逆算した企業価値は、なんと6千億ドルとなった。

過去の利益が金融資産として積み上がり、含み益は約2千7百億ドル（日本円で2・9兆円）に達した。

利回りの低い金融資産の残高増加に従い、資産の効率性が悪い、つまりROAが悪化してしまっているのである（図6）。

図7で、現金に近い金融資産、含み資産等を控除してみたところ、総資産は5百億ドル程度と、売上高の4分の1となり、税負担が少なく、スリムな構造が見えてきた。

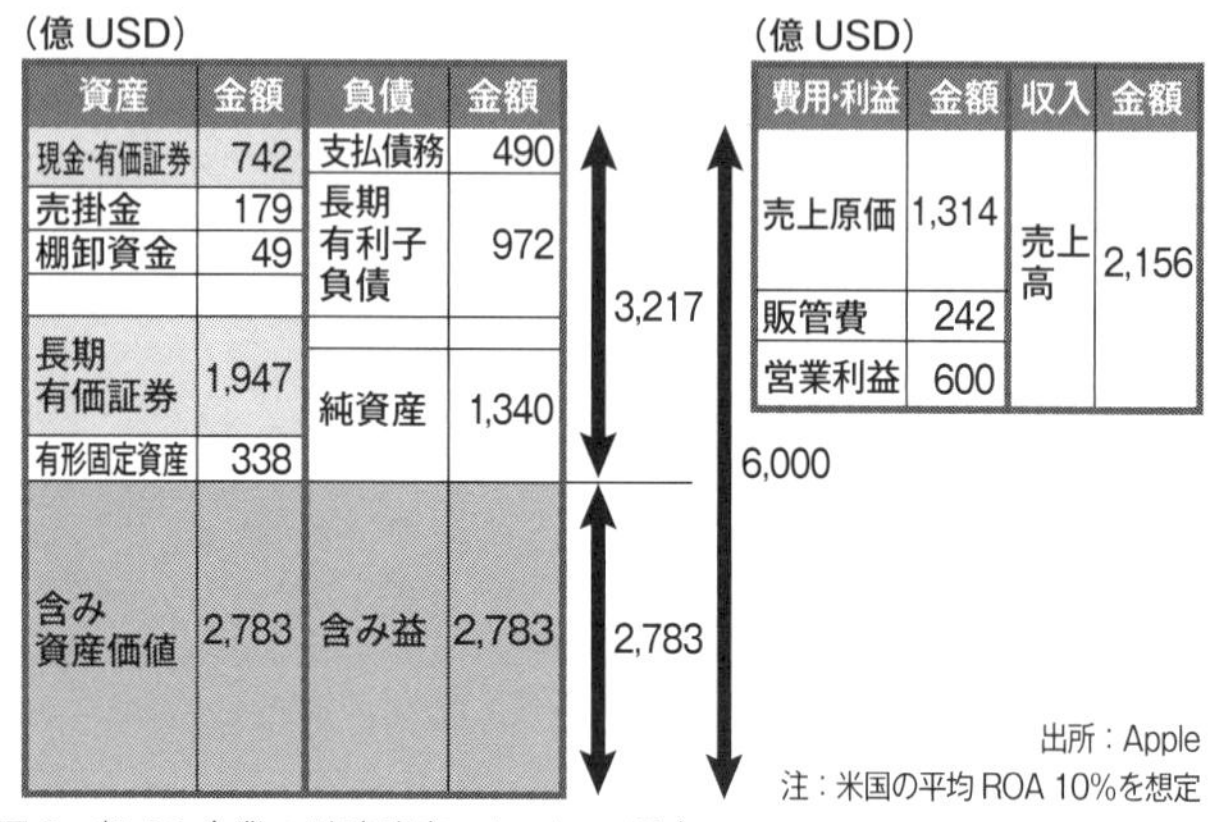

図6　軽BS企業の財務諸表　Appleの場合

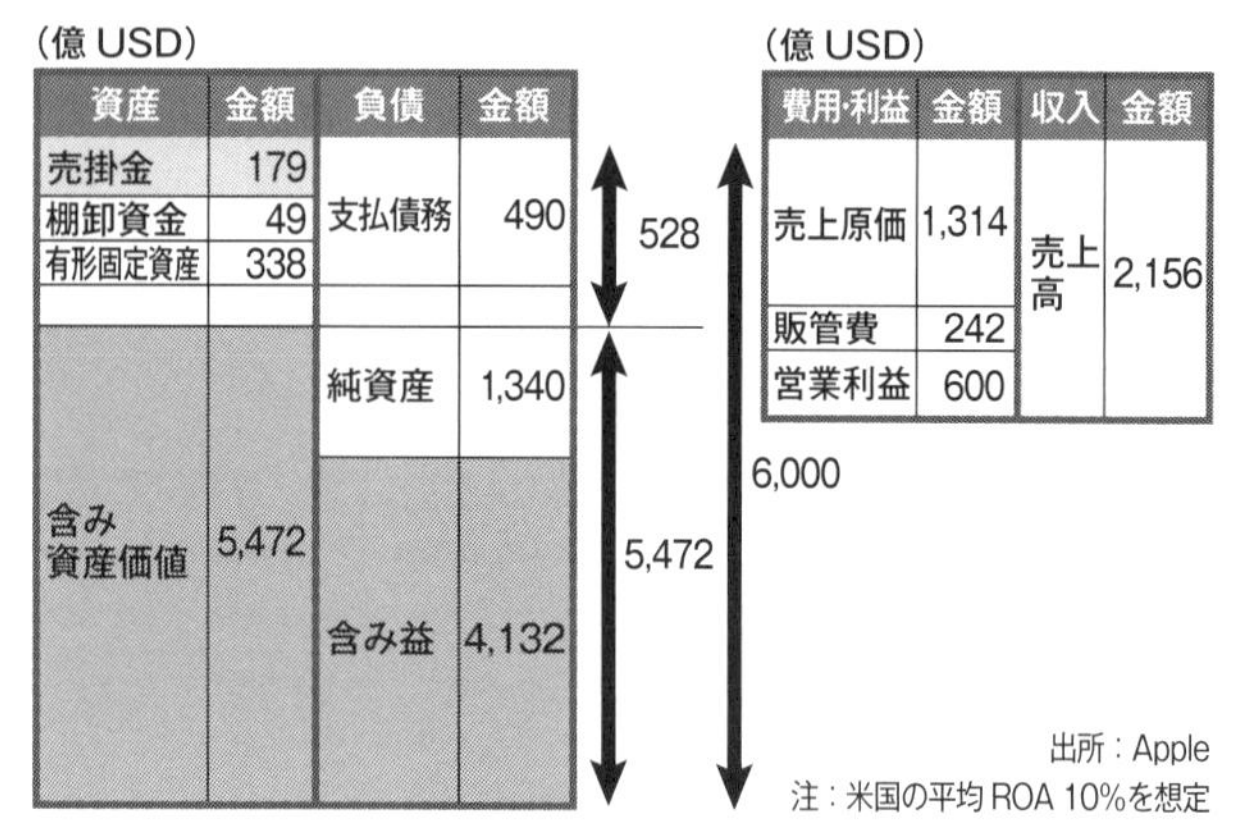

図7　Appleが現金に近い金融資産、含み資産などを控除した場合

知的財産の活用で企業の競争力もアップできる

繰り返しになるが、日本の会計基準では、基本的に知的財産はBSに記載されない。

そして、M&Aなどの現場では、BSに表れない資産価値を「のれん代」として計算し、減価償却させることにしている。

ただ、実は多くの現場ではそれを「よくわからない資産」と言うものの、上手い言い換えであることをよく知っている。

しかし、それは単なるごまかしに過ぎない。

「のれん代」というものが、「のれん代その他無形資産」であり、その中の**「その他無形資産」がその企業の競争力の源泉（コアコンピタンス）であることがままあるのだが、それを明らかにしつつ、うまく経営をしていくことが、知的財産経営の**

第一歩であると言っても過言ではないのである。

経営努力を重ねて、売上アップの施策や新規事業もコストカットも出尽くしたと思われる自社の経営も、**知財という見えない資産の活用法に気づくことができれば、新たな売上を上げることができ、新しいビジネスモデルを発見でき、ファイナンスに成功したのと同じ効果が期待できる。**

見えない価値を見える化し、活かしていく

弁理士という仕事をしていると実感するのは、コンサルタントという仕事は、人様の悩みを聞いて問題点を指摘するだけではダメだということだ。

我々の本来の仕事は、もちろん特許申請の手助けをすることであるが、単に申請のルーティンワークではなく、顧客の事業の競争優位性の獲得や、その維持の視点に立ったアドバイス、知財戦略を実現する組織面での支援、さらに顧客ビジネスの

外部評価を維持、向上させるためのモニタリングやコンサルティングサービスまで**特許獲得後のビジネス展開を見据えた次元での相談に乗り、特許を最大限に活用できるようサポートできなければ意味がない。**

特許の登録が完了したところでクライアントとの関係が終わってしまうということは、合格させてそこで終わりの進学塾と同じである。

特許というメガネで見てみれば、技術や戦略についての評価ができることも多く、**どのような会社でも、自分たちが気づいていない「見えない価値」がある。**

それを発見するお手伝いをして、戦略を立て、マネタイズしていくのが我々弁理士の仕事であり、価値を「見える化」させる手段が特許出願などの、知財戦略なのである。

𝄞 新しい知財戦略

図8をご覧いただきたい。

自社の技術について、図に示すように、「実施しているもの」と、「実施していないもの」とに分ける。

「特許を取得していないもの」と、「特許を取得しているもの」とに分ける。ここには、特許になるようなものだけでなく、技術に係るデータやノウハウも含まれるものとする。

説明を容易にするために、特許になるような技術について説明していくと、まず、**「自社で実施しているか、あるいは実施予定のもので、特許を有しているもの」**（図中の象限A）は、従前からの、自社の実施技術を他社から護るという、伝統的な特許戦略と言われているものである。

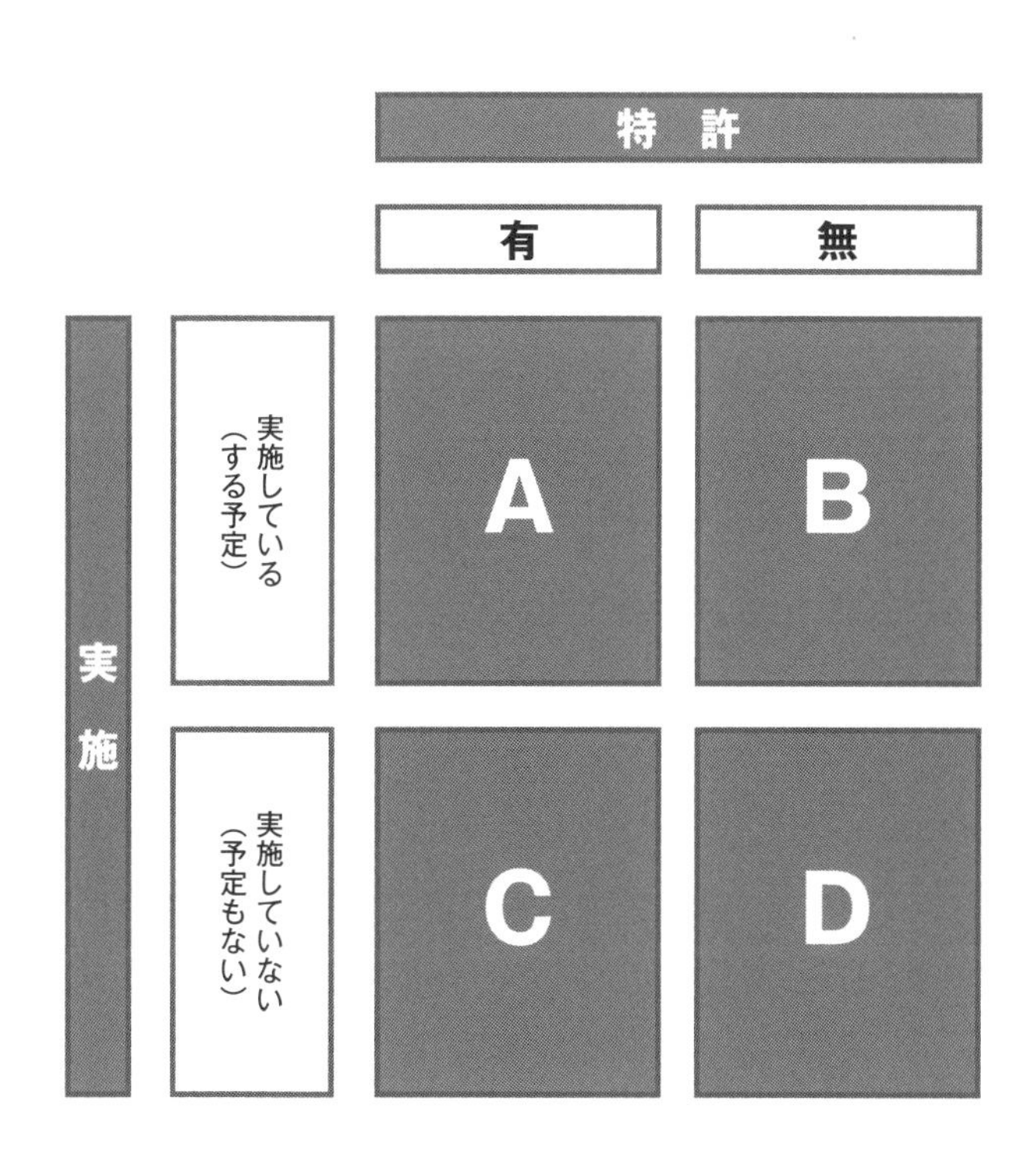

図8　新しい知財戦略

しかしながら、オープン&クローズ戦略のような「あえて特許を取らない部分を作る」といったことも行われ始め、何か技術があったらとにかく特許を取得するという流れにも歯止めがかかり始めた。図中の**「自社で実施しているか、あるいは実施予定のもので、特許を有していないもの」**（図中の象限B）について、同じく実施の対象となっているものについて特許を取得しているAの部分とのバランスを取りながら事業を進めていく考え方である。

このような考え方は、経営戦略の考え方や経営分析が進み、いわゆる〝スマイルカーブ〟のような理論が提唱され、利益率が低いところまで取り込んで全体的な事業（垂直統合型事業）を行う必要などないだろうということで、利益率が低い部分については特許の取得コストもあえてかけず、むしろ開放してしまうことで、安価な調達を行うことを可能にしたものである。この戦略を採ると、費用対効果の観点からして特許取得が行われなくなるため、必然的に、事業は行うが特許は取らないB象限になると捉えることもできる。

「事業は行わないが特許だけは取る」というC象限というのは、前述のサメ型企業によってもたらされた比較的新しい戦略である。サメ型企業は、今ではほとんど投資ファンドによって裏付けされた新たな利殖産業となっている。ある意味では、事業とは関係なくお金を生み出すところになるため、ポートフォリオの中では**「知財純資産」**と位置付けられていることもある。

従前からの特許戦略がA象限であるのに対し、B象限やC象限は新たな知財戦略にかかるものという位置付けである。

では、D象限は、いったい何なのであろうか。**「実施もせずに、特許も取らない」**、こんなところにはまったく意味がないようにも思える。

しかしながら、人間の「無意識」が人間の行動を支配するが如く、実はここが新規事業その他の宝庫であるというのが、最新の知財戦略なのである。

このD象限に入る典型的な例は、**「過去の失敗例」であったり、他社情報**であったりする。明らかに意味がないように見えても、ここの情報を活用することこそが**「データマイニング」**と言われているものの初歩であり、「マイニング」という言葉の意味である〝採掘〟が意味するごとく、そこには豊富な資源があるかもしれないのである。

刀を抜かずに守ってもらう最強の「用心棒」

知財をたくさん抱えているような企業や、会社自体がまだ発展途上で自衛能力がまだないような若い企業からしてみたら、「用心棒」が誰であるかということは非常に大切なことである。

例えば、創業したてのベンチャー企業が「サメ型企業」に対抗しようと、自ら努力し、虚勢を張っても、あまり効果はない。

「サメ型企業」も「用心棒」が手強いと気がついたら、恐れて攻撃をしてこないものだ。

技術力を武器としているベンチャー企業は、自らを守るため、屈強な「用心棒」が必要となってくるのである。

この場合、「用心棒」というのは、もちろん特許事務所や法律事務所になるが、大企業と組んで特許を取得した例もある。

「痛くない注射針」で有名な岡野工業は、技術力が命の町工場だけに、特許戦略がとても重要になるということをよく知っている。

大会社が岡野工業の特許技術を欲しがったとする。その際、「お願いします。その技術を使わせてください」などと頭を下げてくることは皆無であり、大企業は知らん顔して確信犯的に商品化してしまう。

それを知った町工場が訴えても、大会社はカネにモノを言わせて優秀な弁護士を雇い、裁判を長引かせるので、なかなか勝つことができない。結審する頃には技術自体が古くなり、賠償金も大して取れない、ということになる。また、現実に、この日本では中小企業が大企業に裁判で勝つのは容易なことではない。

それゆえ、例えば岡野工業は、自分の会社が単独で特許をとっても無駄であることを承知しており、用心棒の役目も担ってもらうため、**大企業と共同出願で特許を取ることにしている。**

「痛くない注射針」は、テルモとの共有特許であるし、トヨタと共同で取っている特許もある。こうすることで、テルモやトヨタの庇護を受け、権利も利益も守られることになるし、他の大企業も岡野工業に手が出せない。

宣伝の効果もあり、大企業と名前が対等に並ぶことで、岡野工業を知らない国内外の企業から注目されることになる。

大企業を用心棒にして、そこの法務部門の頭脳と情報網を使う。そして絶大なPR効果が見込めるという、一石二鳥以上の効果を得ているのである。

誰でも成功するパターンに自らを置く

話がそれてしまったが、屈強な用心棒となるべく自分の事務所を整えていく過程では、私も批判を受けることがあった。

というのも、「あんなやつはちっともすごくもなんともないし、実力もない。あんないいところ（東京駅）に事務所を構えて、あんなに良いお客さんがいて、あんなにいいスタッフがいる。それなら誰だって成功するよ」というものである。

こういった批判の是非はともかくとして、実はここには、ひとつの真理があることにお気づきであろうか。

つまり、**「いいスタッフ」、「いいお客様」、「いい場所」、この3要素を揃えることができれば、誰でも成功できる**ということである。

ただ、これには整えていくべき順番がある。

ビジネスの成功という面では、顧客満足度を上げていくことが肝心であるが、それは仕事をしていった上での成果であり、結果が出るのに時間がかかる。

まずは人材である。すべては人材から始まる。人材が揃うと、仕事の質も上がり、自然と良いお客さんに恵まれ始め、２つ目の要素が充足されるようになってくるものである。

創業当初は、やはり顧客獲得が一番困難なことであったが、分かりやすいアピールポイントがあるとお客さんも依頼しやすいのだろう。

３つ目の要素は、「いい場所」であるが、一般的に言われる「いい場所」というのは固定費がかかり、ある程度経営が軌道に乗ってくるまで手が出しにくいため、最後の仕上げとなる。

だいたいの国内の大手企業の本社は丸の内や大手町にあるので、その付近に事務所を構えるというのは非常にアドバンテージが大きい。

生活面の話で言うと、よく「衣・食・住」の順番で整えていけという話を聞く。まずは良いものを着て、良いものを食べて、そして最後に住居という手順である。ビジネスを成功させるにも似たようなことが言えるというわけである。

大切なのは才能を見抜く力

人間というのは、欠陥があると命にかかわることもあるため、短所を見つけるのが得意なようになっている。

そのため、短所を見て、長所を見ようとしない習慣がついており、長所を見つける力が弱い。

しかし、なんでもやればやるほど上手くなっていくものなので、長所を書き出してみるなどの訓練を続けていくことが必要となってくる。

街でよく見かける、ティッシュ配りの人は、経験を積んでくると、ティッシュを受け取ってくれる人がわかってくるようになるという。
それは、日々の積み重ねの結果であり、マニュアルや、ノウハウで習得できるものではないのはお分かりいただけるであろう。

みなさんにも、日々行っていることで、身体ごと習得してしまったような技能があると思うが、**我々にとって、その企業の潜在している価値を見抜いていく力は身についており、どのように顕在化していくことができるかという道筋をつくる術を知っている。**

知的財産を取り巻く世界は、非常に複雑化してきているが、我々弁理士のような専門家と一緒に歩んでいくことができれば、どんな時も鉄壁の守りをしてくれる用心棒を得たことと同じこととなる。
技術の素晴らしい町工場や、新しい概念を作り続ける大企業まで、これから先も、ずっと日本のイノベーションに寄り添い、一緒に走っていきたいと思っている。

ところで、かなり前に流行ったので知っている方は少ないかもしれないが、歌手・ばんばひろふみの「SACHIKO」という歌謡曲をご存じであろうか。

この歌は、「幸せを数えたら片手にも余るが、不幸せを数えたら両手でも足りない」というような内容になっている。「幸せな子と書いて幸子なのに、何で自分には不幸ばかり…」と思っている幸子さんにやさしく接する男性についてのものであったが、先の歌詞の部分を何の文学的情緒もなく、数学的に言ってしまえば、要は「幸せの数は5未満であるが、不幸せの数は10以上」ということになり、文学的情緒を入れて考えれば、つまり「私の人生は不幸ばかり。不幸に満ちあふれている。幸せは、ほんのちょっぴり」ということになる。

では、この幸子さんは、本当に不幸ばかりであったのか。おそらく、そうではないだろう。もしこれを不思議に思う人がいたならば、是非とも同じことをやってみて欲しい。そう、幸せの数と不幸せの数とを、実際にカウントしてみるのだ。たいていの場合、不幸せの数のほうが多く、かつ、カウントも早くできるはずである。

同様に、「自分の長所」というものを挙げるのも、結構骨が折れる。改めて問われてみると、なかなか出てこないのである。それに対し、「短所」を挙げるのは、馬鹿みたいに簡単である。出てくるスピードも速い。

前述したように、人間というものはそもそも、欠点や短所を見つける天才であり、先天的にそれらを素早く見抜く才能があるのである。例えば今、目の前にあるもの、それは本であっても筆箱であっても、机であってもよい。欠点や欠陥を見つけろと言われたら、その2、3個はすぐに見つけられるはずである。

けれども、「長所を言え」と言われたら、難儀するに違いない。なので、訓練しない限りは、部下の長所など見抜くことができず、その結果として良いマネージャーになれないというようなことが起こる。長所を見抜く能力というのは、誰にとっても、訓練することによってのみ得られる後天的な才なのである。

人間と同じように、**企業も自分の長所を引き出すこと、見つけ出すことというの**

は、困難なことで、「実施もせずに、特許も取らない」放置されているところに、まだ見つけることができていない宝があるものだ。

その宝は、今の位置からでは見えにくいかもしれないが、「宝の持ち腐れ」は本当にもったいない。自分の中に眠る宝というのは、視点を変えてみたり、第三者の目を借りて見たりすることで、発見することができる。その宝は、必ずや、みなさんを成功に導くものとなるであろう。その日が近い未来訪れることを願ってやまない。

まとめ

- 日本は技術大国であるが、企業の財務諸表を見ても知的財産のほとんどが貸借対照表（BS）上に計上されていない
- そのため、財務諸表を見ただけでは、正しく企業価値を知ることが困難となっている
- マネタイズする上で最も貢献しているものは目には見えない「才能」という「見えない」資産である
- 「サメ型企業」とは、イノベーションを奪うことに特化した企業で、「標的」にされるのは新興勢力企業
- 日本政府や多くの日本企業は「サメ型企業」の攻撃に無防備に近い状態
- 優れた技術を持つ日本の技術系ベンチャーが事業化に失敗した要因のひとつは「価値」と「希少性」のみで成功すると思い込んでいること
- 「模倣困難性」「組織性」まで含めて経営することが知的財産経営の第一歩（VRIO分析）

●経営者はその人間的価値をもっとうまくマネタイズしていくべき
●経営者が成功するには物事の真髄、長所を見極める術を持つこと

あとがき

2021年に繰り下げられた東京オリンピックを前にして、日本経済はかつてのバブル期も凌ぐほどの好景気に沸いているという。

史上かつてない空前の建設ラッシュが続き、再開発や商業施設の建設は、2021年以降も列をなして待っているというから驚くばかりだ。

しかし、日本経済に対する私の危惧はむしろ増すばかりと言っても過言ではない。

特許、商標、意匠をはじめとする知的財産の権利化と保護、そしてその運用を今のうちに進めておかなければ、日本はアジアの、いや世界の最貧国のひとつとして、超高齢化時代の到来とともに没落してしまうのではという危惧さえ拭えない。

本書『新訂版 貧乏モーツァルトと金持ちプッチーニ』の教訓を、ただの酒場での与太話に終わらせてはいけない。

今ならまだ間に合う、そんな技術や資源やノウハウや、日本だけの知的資産や文化資産が数多く存在するのだ。各個人にも、それぞれ宝がある。

弁理士とは、未来を守り、未来を作る仕事である。そしてそのために、一見複雑に入り組んで見えるパテントビジネスを紐解き、最良のマネタイズ方法を提案するものであり、未来に向けた最適なビジネスパートナーのひとりであると私は確信している。

そして、国際パテント・マネタイザーというものは、世界でビジネスを展開する企業や個人が事業やマネタイズの面で失敗することなく、大きな成功を収めるのをサポートする仕事である。

どうか、本書を単なる知的好奇心を充たす束の間のエンターテイメント・ビジネス書として閉じるのではなく、これから世界を相手に戦うそのきっかけのひとつにしていただければと思う。

国家間、民族間、国民間にますます広がり続ける格差社会の拡大を防ぎ、あらゆる知的資源がこの世界に平和をもたらすためには、自分の長所に気付き、それを確実にマネタイズすることである。これが実現して理想の世界となる日の到来を信じて、ともに未来を歩んで行きたい。

正林国際特許商標事務所所長
国際パテント・マネタイザー
正林真之

プロフィール

正林 真之　（しょうばやし・まさゆき）

正林国際特許商標事務所所長・弁理士。

国際パテント・マネタイザー。

特許・商標を企業イノベーションに活用する知財経営コンサルティングの実績は国内外 1400 件以上。

1989 年、東京理科大学理学部応用化学科卒業。

1994 年、弁理士登録。

1998 年、正林国際特許事務所（現・正林国際特許商標事務所）設立。

2007 年～ 2011 年度及び 2018 ～ 2020 年度、日本弁理士会副会長を務める。

また、2010 年～ 2013 年には東京理科大学専門職大学院（MIP）客員教授を、現在は東京大学先端科学技術研究センター知的財産法分野客員上級研究員、藤田医科大学客員教授を務める。

著書に「知的財産法判例教室 グローバル版 米欧中韓（第 3 版）」（経済産業調査会）、「会社の商標実務入門（第 3 版）」（中央経済社）、「戦略的『知財経営』の羅針盤」（現代書林）など多数。

HP：http://www.sho-pat.com/

新訂版　貧乏モーツァルトと金持ちプッチーニ
身近な疑問から紐解く「知財マネタイズ経営」入門

2018年 7 月25日　　初版第 1 刷発行
2019年 8 月 5 日　新訂版第 2 刷発行
2023年10月11日　　　　第 3 刷発行

著者　正林真之
発行者　高野陽一
プロデュース　水野俊哉
発行　サンライズパブリッシング
〒150-0043
東京都渋谷区道玄坂1-12-1
渋谷マークシティ W　22階
TEL 03-4360-5535

発売　飯塚書店
〒112-0002
東京都文京区小石川5-16-4
TEL 03-3815-3805

印刷・製本　中央精版印刷株式会社

ISBN　978-4-7522-9024-7
C0030